Les textiles de l'Inde

MINISTÈRE DES RELATIONS EXTÉRIEURES

ASSOCIATION FRANÇAISE D'ACTION ARTISTIQUE

Cette exposition est réalisée grâce
au concours de :

Carrefour
Rhône-Poulenc
Sari
Schlumberger

Musée des Arts Décoratifs - Paris
16 octobre/29 décembre 1985

Musée des Beaux-Arts d'Angers
14 janvier/20 février 1986

Musée Historique des Tissus de Lyon
6 mars/13 avril 1986

"L'or, la laine et la soie, cotons et plumes de paon"

Les textiles de l'Inde

et les modèles créés par
Issey Miyake

Association Française d'Action Artistique / Musée des Arts Décoratifs

Herscher

 **ANNÉE DE L'INDE**

COMITÉ INDIEN

Président d'Honneur :
Rajiv GANDHI,
Premier Ministre de la République Indienne.

Présidente :
Pupul JAYAKAR,
Présidente du festival de l'Inde.

Membres du comité :
Mohammad YUNUS,
Président du Comité des expositions.
Son Exc. I.H. LATIF,
Ambassadeur de l'Inde en France, Air Chief Marshal Retd.
A.P. VENKATESWARAN,
Secrétaire Général, Ministère des Relations Extérieures.
S.S. GILL,
Secrétaire Général, Ministère de l'Information et de l'Audiovisuel.
M. le Secrétaire Général, Ministère du Commerce (Textiles).
Yash PAL,
Secrétaire Général, Département des Sciences & Techniques.
Y.S. DAS,
Secrétaire Général, Département de la Culture.
S.S. SIDHU,
*Secrétaire Général, Ministère de l'Aviation Civile et du Tourisme, Président-
Directeur Général d'Air India.*
L.P. SIHARE,
Directeur du Musée National, New Dehli.
Krishna RIBOUD.
Narayana MENON,
Directeur de la Sangeet Natak Akademi.
Sankho CHAUDHURY,
Directeur de la Lalit Kala Akademi.

P.A. NAZARETH,
Directeur Général, Conseil Indien pour les Relations Culturelles.
S.K. MISRA,
Directeur Général du Festival de l'Inde.
Dalip MEHTA,
Ministre, Ambassade de l'Inde à Paris.
Wajahat HABIBULLAH,
Directeur, Cabinet du Premier Ministre.
M. AURORA,
*Président-Directeur Général, Commission Indienne d'exportation d'Artisanat et de
Tissage.*
B.N. GOSWAMI,
Académie des Beaux-Arts, Université du Penjab.
Girish KARNAD,
Écrivain.
Charles CORREA,
Architecte.
Aditya BIRLA,
Industriel.
Sanjay DALMIA,
Industriel.
Ashok CHATTERJEE,
Directeur de l'Industrie du Design, Ahmedabab.
Akbar PADAMSEE,
Peintre.
Kamala CHOWDHRY.
Raj REWAL,
Architecte.
Jehanguir BHOWNAGARY.
E. POUCHAPADASS.
Vijay SINGH, *Coordinateur, Festival de l'Inde.*

COMITÉ FRANÇAIS

Président d'Honneur :
Laurent FABIUS,
Premier ministre.

Président :
Jean RIBOUD,
Administrateur de Schlumberger.

Vices-Présidents :
Madeleine BIARDEAU,
Directeur d'Études à l'École Pratique des Hautes Études.
Jacques BOUTET,
Directeur Général des Relations Culturelles Scientifiques et Techniques du Ministère des relations extérieures.
André LARQUIE,
Président du Conseil d'Administration du Théâtre National de l'Opéra de Paris.
Patrice PELAT,
Administrateur de la Compagnie Nationale Air France.

Secrétaire Générale :
Catherine CLÉMENT,
Sous-Directeur des Échanges Artistiques au Ministère des relations extérieures.

Membres du comité :
Roland DUMAS,
Ministre des relations extérieures.
Edith CRESSON,
Ministre du Redéploiement Industriel et du Commerce Extérieur.
Jack LANG,
Ministre de la Culture.
Jacques CHIRAC,
Maire de Paris.
Jean-Bernard MÉRIMÉE,
Ambassadeur de France en Inde.
Philippe CLÉMENT,
Président de la Chambre de Commerce et d'Industrie de Paris.
Robert ABIRACHED,
Directeur du Théâtre et des Spectacles, Ministère de la Culture.
Robert BORDAZ,
Président de l'Union Centrale des Arts Décoratifs.
Peter BROOK,
Directeur du Théâtre des Bouffes du Nord.
Pierre CARDIN,
Créateur.
Michel COMBAL,
Directeur Asie-Océanie, Ministère des relations extérieures.

Jérôme CLÉMENT,
Directeur Général du Centre National de la Cinématographie.
Jean-Louis DUMAS, *Président-Directeur Général d'Hermès, Membre du Comité Colbert.*
Vadime ELISSEEFF, *Conservateur en Chef du Musée Guimet.*
Roger FAUROUX, *Président-Directeur Général de Saint-Gobain.*
Georges FISCHER, *Directeur de Recherche, Titulaire du C.N.R.S.*
Maurice FLEURET,
Directeur de la Musique et de la Danse au Ministère de la Culture.
André FONTAINE, *Directeur du Journal Le Monde.*
Pierre GIRAUDET, *Président de la Fondation de France.*
François GROS,
Directeur d'Études à l'École Pratique des Hautes Études.
Michel GUY,
Directeur du Festival d'Automne.
Chérif KHAZNADAR,
Directeur de la Maison des Cultures du Monde.
Olivier LACOMBE,
Professeur honoraire à la Sorbonne. Membre de l'Institut de France.
Hubert LANDAIS,
Directeur des Musées de France.
Marceau LONG,
Président de la Compagnie Nationale Air France.
Jean MAHEU,
Président du Centre national d'art et de culture Georges Pompidou.
André MIQUEL,
Administrateur Général de la Bibliothèque Nationale.
Charles MORAZE,
Directeur d'Études à l'École Pratique des Hautes Études.
Georges PEBEREAU,
Président-Directeur Général de la Compagnie Générale d'Électricité.
Philippe THIRY,
Président de l'Office National des Diffusions Artistiques.
René THOMAS,
Président-Directeur Général de la Banque Nationale de Paris.
Dominique WALLON,
Directeur du Développement Culturel, Ministère de la Culture.

Coordination :
Éliane WAUQUIEZ.
Chargée de mission

Paul-Jean de REDON.

Cette exposition est placée sous le haut patronage
du Gouvernement de la République Indienne
et du Gouvernement de la République Française

elle est organisée
dans le cadre de l'Année de l'Inde
par l'Association Française d'Action Artistique
sous les auspices
du Ministère des relations extérieures
et du Ministère de la Culture
de la République Française

et par la Corporation Indienne
d'Exportation d'Artisanat et de Tissage
sous les auspices
du Ministère du Commerce
de la République Indienne

COMITÉ D'HONNEUR

Robert BORDAZ,
Président de l'Union des Arts Décoratifs.

Jean MONNIER,
Maire d'Angers.

Jacques MAILLARD,
Adjoint au Maire, chargé du Patrimoine et des Musées.

Étienne CARROT,
Président de la Chambre de Commerce et d'Industrie de Lyon.

COMITÉ D'ORGANISATION

Louis JOXE,
*Ambassadeur de France, Président de l'Association
Française d'Action Artistique.*

Thierry LE ROY,
Directeur du Cabinet du Ministre de la Culture.

Jacques BOUTET,
*Directeur Général des relations culturelles,
Scientifiques et Techniques au Ministère des relations extérieures.*

Catherine CLÉMENT,
*Sous-Directeur des Échanges Artistiques et Culturels
au Ministère des relations extérieures,
Directrice de l'Association Française d'Action Artistique.*

Gérard FONTAINE,
*Secrétaire général de l'Association Française
d'Action Artistique.*

Vincent GRIMAUD,
Conseiller Culturel près l'Ambassade de France en Inde.

Daniel JANICOT,
Délégué général de l'Union des Arts Décoratifs.

Yves MABIN,
*Chef du Bureau des Arts Plastiques au Ministère des
relations extérieures.*

Guy MOURLON,
Secrétaire général de l'Union des Arts Décoratifs.

Nadine GASC,
*Conservateur du département des textiles
du Musée des Arts Décoratifs.*

Commissaires de l'exposition pour Paris :
Martand SINGH
François MATHEY

assistés de :
Dominique PALLUT,
Service des expositions.

Gilles PLAISANT,
Service des éditions.

Dominique BURKHARDT,
Relations presse.

Pascale de VLEESCHOUWER,
Relations publiques.

Michèle LESELLIER,
Secrétariat.

Architecture :
Anne SURGERS

Lumières :
Bruno BOYER

Commissaire de l'exposition pour Angers :
Christine BESSON,
Conservateur au Musée d'Angers.

Commissaire de l'exposition pour Lyon :
Pierre ARIZZOLI-CLEMENTEL,
Conservateur du Musée Historique des Tissus.

Commissaire administratif :
Marie-Claude VAYSSE-COLLETTE,
*Association Française d'Action Artistique,
Bureau des Arts Plastiques.*

Nous sommes particulièrement reconnaissants aux mécènes de cette exposition, au commissaire pour le développement de l'artisanat textile, au gouvernement indien, de nous avoir donné l'opportunité de montrer en France la grande qualité des textiles indiens traditionnels.

Nous exprimons notre gratitude à Madame Krishna RIBOUD qui a rendu ce projet possible, et lui a toujours prodigué ses encouragements et son soutien.

Nous remercions le « Handicrafts and Handlooms Export Corporation of India Ltd » et en particulier Mr P. SHANKAR, Directeur général qui a facilité notre tâche.

Nous remercions ceux qui par leur engagement et en particulier par leur action à l'occasion de cette exposition aident au développement de l'artisanat du textile.
Mme Asha SARABHAI, *Conseiller artistique,*
M. Rakesh THAKORE, *Designer,*
Mlle Romanie JAITLY, *Designer,*

Mme Pratima KUMAR, *New Delhi,*
ainsi qu'aux membres
des « Weavers Service Centres » de l'Inde :
M. Gautam VAGHELA, Bombay,
M. Redappa NAIDU, Madras,
M. J.N. SUPAKAR, Varanasi,
M. J.K. REDDIYA, Hyderbad,
M. Sunil K. DAS, Calcutta,
M. B. BRAR, Bhubaneswar,
M. P.C.S.M. RAJA, Cannanore,
M. GURUMOORTHY, Bangalore,
M. D. JAYARAMAIAH, Vijayawada,
M. S.C. JAIN, Panipat,
M. H.D. NAIK, Delhi.

Nous remercions spécialement :
Mlle Frédérique DELBECQ,
*Secrétaire générale de l'Association
pour l'Étude et la Documentation de Textiles d'Asie,*
Mlle Sophie DESROSIERS,
Mme Monique LÉVI-STRAUSS,
dont l'aide nous a été précieuse pour l'identification sommaire des techniques.

I l y a des rivières de diamants ; il en est de soie et de coton, souples, splendides dans la déclinaison de leurs mille nuances. Sitôt que je les ai vues, à l'exposition de Delhi où Martand Singh les avait rassemblées, alors immédiatement j'ai su que je ne pourrais éluder le mot fatal qui s'imposait, qu'il me faudrait dire la Beauté, plus, que j'avais là sous les yeux, le Beau, tissé, incarné, présent. J'affirme, car on ne démontre pas l'évidence même. On n'ose plus prononcer un terme aussi définitif, équivoque et suranné. On admet à la rigueur que c'est beau ou que c'est bien, mais comme on ne sait plus ni voir ni croire, qu'on a perdu l'habitude, alors le beau trouble, le bien fait sourire, car il faut une certaine candeur pour en être encore à évoquer des concepts depuis longtemps périmés. D'une peinture que pourtant l'on aime, qui vous comble et vous ravit, d'un paysage qui de toute éternité enchante la vue et impressionne l'esprit, on avouera la satisfaction et même l'admiration qu'ils procurent, on concèdera le chef-d'œuvre, la merveille, on les qualifiera certes mais le mot majuscule, tout nu, si difficile à prononcer ne sera pas avoué ou à la rigueur précédé de l'article indéfini, un parmi d'autres, un quelconque. Le Beau intimide, interloque ou fait peur : trop absolu, trop intransigeant, trop évident. Impossible à composer, à compromettre, qu'il faut accepter dans son implacable perfection. « Une œuvre d'art ne doit pas être la beauté même car la Beauté est morte » proclamait Tristan Tzara. Alors on ne va pas rouvrir les dictionnaires philosophiques et les manuels d'esthétique qui ont tellement relativisé le Beau qu'ils l'ont finalement effacé du champ de nos consciences. Cette mystérieuse aura qui s'épanouit autour de la Beauté, je l'ai ressentie à New-Delhi, elle illumine encore mon souvenir. Certes, elle est fragile, sujette aux circonstances mais je pense que sous d'autres cieux, confrontée à d'autres manières de voir et de sentir, elle maintiendra son privilège pour notre émerveillement commun. Ce n'est pas le goût de l'exotisme ou de la couleur locale, encore moins le folklore et pas davantage une manière de sacrifier à la magie de l'Inde. Ce n'est pas affaire de sentimentalité mais le sentiment de la Beauté révélée. Selon les nations, la Beauté suprême s'incarne dans la peinture, la sculpture, la musique, la danse, ou d'autres formes spécifiques de la création. Il semble qu'en Inde ce soit à travers les fils de laine, de coton ou de soie. Faut-il à propos écrire textiles (le mot a une connotation contemporaine et pédante qui annonce texture, structure...), tissus, puisque c'est évidemment du tissage, ou tout simplement étoffes au sens le plus usuel quand pourtant il s'agit aussi de véritables coupes d'espace, de temps, pour ne pas dire d'éternité, les coupons de l'âme indienne. Voilà enfin libérés tous les grands thèmes redoutés, un seul manquait encore, le sacré, qui donne sa forme à l'invisible et la somme annoncée qui fait la Beauté. La révélation, fut-elle mystique, n'infirme pas l'objectivité ; à cet égard l'extrême rigueur de l'œuvre tissée force l'admiration. « Du beau travail comme on n'en fait plus » diraient avec envie et respect les bonnes gens mais l'habileté, le métier consommé du tisserand, quels que soient l'atelier ou le groupe ethnique, ne donneraient pas le même sentiment d'intime perfection, s'il leur manquait cette dimension essentielle de la vraie conscience, c'est-à-dire l'amour de celui qui fait ; la main amoureuse du tisserand exprime en effet sa manière de créer, par conséquent d'être, cette disposition de l'âme qui transcende la technique la plus éprouvée. Ce sont les sentiments qui furent autrefois ceux de nos propres artisans mais la tradition s'en est perdue à la Révolution et le miracle indien, précisément, c'est que la tradition y est demeurée vivante ou plutôt qu'elle revit, plongeant ses racines dans le passé mais orientée vers l'avenir. L'actuel conflit artiste-artisan qui nous préoccupe en Occident n'avait guère de sens quand celui qui réalisait était le propre exécutant de sa propre conception, elle-même résultant de cet entendement commun dont la tradition millénaire préserve la plénitude. Il est alors fatal que l'art triomphe, du moins ce que nous appelons l'art mais qui en réalité se situe bien au-delà : objet de louange, don toujours renouvelé. Il n'est pas étonnant et c'est aussi leur vertu, que ces étoffes simples ou somptueuses, souples et comme naturellement animées soient exclusivement consacrées à la femme indienne et lui soient son vêtement essentiel autant que sa parure, être avant que paraître. Le sari, ce vêtement idéal, sans couture, d'une stupéfiante diversité de modèles et de textures, a une fonction quasi liturgique qui n'exclut pas les autres, porter un bébé, les provisions, protéger la tête des ardeurs du soleil ou des regards importuns. Nous ressentons sans les comprendre le symbolisme des signes et des couleurs, la séduction du fil, le secret de la trame qui confèrent au tissu une valeur cultuelle, voire rituelle, et la femme, quelle qu'elle soit, drapée dans son sari, prend spontanément et comme à son insu, la dimension d'une sculpture vivante. C'est peut-être l'illustration la plus objective et en même temps la justification la plus évidente de la Révolution indienne qui a su préserver le génie et la magie d'un peuple en péril. L'exemple est à méditer. Chaque pays a son destin et sa propre vision du monde, mais il est des constantes qu'il est bon d'entretenir. Lorsqu'une tradition est ressuscitée à force d'expédients, elle relève du folklore mais elle est nécessairement appelée à mourir. La tradition de l'Inde en revanche, si elle ne répond pas à nos besoins et en tout état de cause à notre civilisation, nous offre une leçon dont il nous faudra peut-être tenir compte un jour. Paul Valéry disait que « la véritable tradition dans les grandes choses n'est point de refaire ce que les autres ont fait mais de retrouver l'esprit qui a fait ces choses et qui en ferait de tout autres en d'autres temps ». Il est abusif et ridicule d'imaginer que de nouvelles valeurs seront capables de répondre aux ambitions de l'homme nouveau et que l'informatique, entre autres, y pourvoira. L'Inde moderne, ouverte aux innovations du monde nucléaire a cependant compris qu'elle amputerait gravement son patrimoine spirituel en renonçant aux métiers que l'art inspire. Ils sont cinq millions qui, traditionnellement et de temps immémoriaux, vivent pauvrement de leur métier. Sommes-nous capables d'admettre — difficile, et pourtant ! — que le sentiment de la perfection qui les anime et la sérénité qui les habite sont la certitude de leur progrès. Mais cette forme d'ascèse serait une véritable palinodie si elle ne répondait pas à l'aspiration des artisans. Encore fallait-il deviner cette aspiration et prendre conscience de leur angoisse. Le gouvernement de l'Indépendance eut l'intelligence de réaliser l'alternative qui s'imposait alors : poursuivre un travail abâtardi par les formes corrompues provoquées par la routine et la clientèle, ou réagir et retrouver l'esprit de la tradition du dessin et du métier. Il prit le parti d'adopter une politique cohérente pour susciter, favoriser la création individuelle et lui offrir des débouchés. En sauvant

le tissage à la main, le métier à bras, que l'évolution économique et industrielle semblait devoir normalement condamner le Mahatma Gandhi et après lui le Pandit Nehru ont permis le renouvellement de l'artisanat textile mais surtout affirmé l'esprit de liberté et d'indépendance de l'Inde face à l'industrialisation systématique et aliénante. Il leur fallait la foi et prouver que le travail individuel mais anarchique et abandonné aux aléas du sort avait encore assez de prestige pour lutter efficacement contre la routine manufacturière, anonyme, oppressante et sans âme. Dès la proclamation de l'Indépendance, un plan d'action est confié à l'architecte. T.T. Krishnamachari, qui organise la profession en coopérative, et améliore la productivité mais c'est surtout Madame Pupul Jayakar qui, à partir de 1957, conçoit, met en place l'infrastructure technique de l'Industrie des Métiers à tisser à bras. Son programme, ne tendait à rien moins qu'à remettre en cause l'approche et la perception de l'artisan soucieux de création de formes. C'est un défi posé non seulement à l'outil, à la technique, aux ressources de l'énergie mais aussi aux valeurs humaines, aux attitudes et aux orientations de la condition humaine, privilèges de la création. « Le plan, déclarait-elle encore, « devait permettre un processus continu repoussant des esprits passionnés par le dessin et la technique du tissage tant aux Indes qu'à l'étranger afin de donner sa place légitime à cette profession fragile mais d'une immense importante. Cette place légitime devra amener une meilleure rémunération, de meilleures conditions de vie et, de ce fait, assurer dignité et fierté au créateur et au consommateur ». Dans tout plan, il y a une gageure que l'on gagne, en bousculant les habitudes, en faisant suffisamment confiance à la compétence des spécialistes et à l'enthousiasme des jeunes artistes. Madame Jayakar le savait bien en déléguant ses pouvoirs de séduction et de compréhension à Martand Singh dont le dynamisme fit merveille. De 1977 à 1982, il s'initie et travaille au Calico Museum of textiles d'Ahmedabad dont les trésors deviennent la référence pour les designers du monde entier. Pour persuader et entraîner, les confrontations sont indispensables. En 1982, l'exposition « Vishvakarma » pour le Festival de l'Inde en Grande-Bretagne constitue l'indispensable répertoire des techniques et des dessins connus. Un pareil Corpus relèverait en quelque sorte de l'archéologie s'il n'y avait eu l'exposition de 1983 « Pudu Pavu » (La nouvelle chaîne) patronnée par la Tamil Nadu Handloom Weavers Society. L'exposition – ce fut l'objet de ma révélation – s'adressant à tous les créateurs indiens, démontrait magnifiquement que « la nouveauté » en essayant toutes les techniques fondamentales du tissu à la main, en respectant la peinture régionale et les procédés d'impression, s'insère bien dans la ligne de la tradition ancienne momentanément compromise, sinon oubliée. Le succès de ces manifestations – c'était en partie leur but – était de mobiliser l'énergie des créateurs, d'exciter leur enthousiasme et leur créativité. Peut-être qu'après cette exposition parisienne les plus belles pièces trouveront leur place obligée dans un nouveau Musée Calico, pour être à leur tour le Trésor indien des tissus contemporains, pour l'édification des créateurs. Dans une certaine mesure l'avenir du tissage à la main en dépend. Si celui-ci maintient cet esprit de haute et exigeante tradition, il résistera aux incursions de l'usine et des métiers automatisés dans les territoires traditionnellement manuels. A coup sûr il survivra tant que le sari conservera son prestige mais si le pari répond à la demande locale, hors de l'Inde il sera anecdotique, exotique, et déplacé. Or il convient que le tissu indien s'adapte aussi aux besoins de l'occident. Dès l'instant que les créations actuelles sont en tout point redevenues d'une qualité aussi évidente que celles qui triomphaient à la cour du grand Moghol au XVIIe siècle et peut-être le snobisme aidant, les tissus indiens contribuent au prestige des créateurs occidentaux qui les utilisent. Il est de fait que les œuvres du passé, un peu par nostalgie, souvent parce que c'est vrai, sont généralement tenues pour être plus belles que celles du présent. Mais cette fois, et pour une fois que notre temps nous offre des produits d'une évidente beauté, ils doivent trouver leur finalité logique entre les mains des grands couturiers contemporains. C'est dans cet esprit de collaboration que Martand Singh s'est adressé à Issey Miyake qui lui paraît le désigner avec lequel il se sent le plus en connivence dans le respect et l'intuition d'une même sensibilité partagée.

Les travaux d'Issey Miyake évoluent entre des formes très strictement architecturées et d'autres qui tournoient ou se drapent mollement au rythme harmonieux du geste. Comme le dit Asha Sarabaï, il transcende les limites du temps et la mode en gardant une extraordinaire compréhension du présent. Il s'inspire en effet d'une tradition très élaborée d'un grand perfectionnisme et pleine de vigueur, réussissant toujours à en tirer un effet très actuel et d'une nouveauté étonnante. En cela sa démarche correspond parfaitement à l'esprit des créateurs indiens.

S'il existe un vêtement qui pourrait donner aux modelistes l'illusion de réinventer la roue, c'est bien le sari qui se prête à une infinité de possibilités, du pantalon douillet de style Maharashtrian jusqu'au drapé flottant du Bengale. Esthétiquement, c'est un des plus gracieux vêtements du monde et l'on conçoit qu'il ait séduit I. Miyaké. Les beaux fils de coton, les tissages d'or pur, les soies sauvages aux tons de miel, le drapé, le tissu flottant, autant d'éléments qu'Issey Miyake plus que tout autre incorpore avec tant de naturel dans ses propres créations. Au cours de ses voyages à travers l'Inde, Issey et ses collaborateurs entraînés par leur enthousiasme ont spontanément renoué avec les artisans, les stimulant dans le sens de l'innovation. Quand l'Orient reconnaît l'Orient ou que l'Orient reconnaît l'Occident, toutes ces permutations, échanges, dialogues favorisent et excitent l'immense potentiel que recèle un métier vivant. Issey Miyake, Martan Singh y ont leur part ; il nous plairait de penser que cette exposition parisienne y aura également contribué.

François Mathey.

Entrelacer de simples fils pour former, en nombre infini, des motifs, des textures et des couleurs qui créent et reflètent une part importante du vocabulaire visuel et matériel de notre environnement, renferme une magie qui ne se dément pas. Depuis plus de deux mille ans, l'histoire de l'Inde a été étroitement liée à son importance de productrice de tissus. Le Rig Veda, l'un des textes sacrés les plus anciens de la littérature universelle, dit que Jour et Nuit répandent la lumière et l'obscurité sur toute la terre, tels des tisserands lançant leur navette sur le métier, et le métier Jacquard est largement considéré comme un ancêtre de l'ordinateur. Le Mahatma Gandhi avait choisi le tissage pour symboliser la lutte de l'Inde pour la liberté, symbole qui, tout en reflétant la continuité historique, tirait sa force du niveau le plus profond, celui où les tissus représentent l'un des besoins fondamentaux de l'homme. C'est peut-être dans le fait de pourvoir au besoin qu'a une nation de se vêtir, et en tant qu'activité économique, la seconde après l'agriculture, que l'industrie indienne du tissage à la main doit être essentiellement envisagée. Les tisserands artisanaux sont plus de dix millions en Inde, et produisent plus de trois milliards cent millions de mètres de tissu, ce sont là des chiffres renversants. Le tissage continuera donc d'être un engagement politique et économique qui ne pourra être pris à la légère.

Traditionnellement, le producteur et le consommateur faisaient partie d'une communauté sociale et religieuse étroitement soudée. Interprète inventif d'une antique tradition esthétique, l'artisan pouvait compter sur les ressources d'une imagerie dotée d'une grande richesse mythologique et symbolique. Dans les conditions du village, qu'il s'agisse de tisser un sari nuptial ou une étoffe destinée à un rituel religieux particulier, le producteur et l'utilisateur possédaient en commun un vocabulaire de symboles, un style de composition, de sorte que l'ornement n'était jamais superflu, mais faisait partie d'un modèle et d'un symbole au sein des contraintes des techniques particulières. Aucun tissu n'était entièrement profane, les différents vêtements destinés à des besoins spécifiques – naissance, mariage, mort, toute une série de fêtes – étaient tous prescrits par des exigences rituelles. Dans les limites de ces rigueurs et de ces contraintes, naissaient des tissus d'une extrême sophistication technique et esthétique, à la fois simples et beaux.

La sensibilité aux couleurs et la conscience de la richesse de leur symbolisme, la force des associations d'idées qu'elles suscitent, se reflètent puissamment dans les motifs que l'on porte – les couleurs évoquaient et exprimaient des états d'esprit, des émotions, des commémorations et le deuil. La subtilité des nuances données à une seule couleur est stupéfiante – le blanc parcourt toute une

gamme depuis la blancheur de l'intérieur d'une coquille, celle de l
crème, d'un bouton de jasmin, des perles, de la nouvelle lune ou de l
brume, jusqu'au *koda,* l'écru.

La couleur avait une importance primordiale dan
cette tradition, elle reposait sur la maîtrise approfondie de la chimi
compliquée de la teinture du coton, dans laquelle la couleur n'éta
pas l'application d'un pigment sur la surface d'un tissu, au contraire
la couleur s'infiltrait dans le tissu et faisait corps avec lui. La teintur
de l'étoffe impliquait « un processus de maturation au soleil dan
lequel la plante tinctoriale, l'eau et le feu se mêlaient dans une alch
mie qui les transformait..., de sorte que la couleur prenait vie e
réagissant aux rayons solaires ; l'altération des couleurs aussi éta
pareille aux fleurs qui se fanent au soleil, restituant leur couleur
l'énergie qui lui avait donné naissance » (Pupul Jayakar). L'obsessio
toute nouvelle des couleurs grand teint va de pair avec le syndrome
des tissus qu'on ne repasse pas.

Le mécénat des cours princières a suscité de
commandes de tissus luxueux, d'une grande richesse et d'une beaut
sans pareille. Dans ce cas, la faculté et la liberté de faire jouer l'orne
mentation et la fantaisie étaient évidemment beaucoup plus grande
et les contraintes économiques bien moindres. Les artisans adop
taient librement des influences diverses, mais ils les fondaient dan
l'intégrité et la continuité de leur propre tradition.

Tantôt de spectaculaires tissus d'or, les mousseline
les plus fines — limpides comme la rosée du matin, diaphanes comme
de l'air tissé — des brocarts pareils à des joyaux alourdis d'émaux, de
châles de laine à l'exécution compliquée, témoignaient de l'habilete
infinie des tisserands et de leur imagination créatrice. L'exotisme pou
vait se déchaîner — comme, par exemple, les plumes de paon tissées
dans des pièces de tissus irisés. Tantôt, la passion, l'enthousiasme du
métier, la volonté d'en être maître, produisaient des trésors allant de
patkas finement brochés et émaillés des cours mogoles, jusqu'au
étoffes kodalikaruppur des cours de Tanjore, d'une imaginatior
subtile, dans lesquelles la peinture à la main est appliquée sur de fins
tissus de coton entremêlés de fils d'or faits de telle sorte que l'o
s'atténue pour capter doucement la lumière — toutes choses fort éloi
gnées du tintamarre et du clinquant d'aujourd'hui.

A côté des traditions du village et de la cour, un cer
tain nombre de centres textiles ont été impliqués dans la fabrication
de tissus destinés à l'exportation. Il s'agissait dans ce cas de satisfaire
les ordres donnés par des consommateurs lointains, et souvent l'arti
san devenait un pion dans un jeu, sujet aux lubies fantasques de la
mode, qui méconnaissaient, en fait, les talents et les ressources du
producteur et le style de ses compositions.

Les tissus ont toujours été d'une extrême diversité
celle-ci reposait sur des traditions de tissage, de teinture ou d'impres
sion et de peinture fortement localisées. Souvent, certains dessins

étaient spécifiques à des castes, des communautés ou des régions particulières. Des centres locaux, et même certaines familles étaient renommés en raison de leur maîtrise de techniques particulières. Au cours de ces dernières années, une grande confusion a été causée par une hybridation inconsidérée et par un transfert fallacieux des styles des compositions d'une région à l'autre.

Au cours des ans, en particulier depuis l'Indépendance, des changements nombreux et rapides ont affecté les structures sociales, économiques, politiques et culturelles de l'Inde. Des techniques industrielles sophistiquées, l'effondrement des relations traditionnelles entre l'artisan et le consommateur, le choc dû à l'influence de modèles venus de l'extérieur, mal compris et mal imités, ont posé un véritable défi à l'artisan et à son métier d'art, de même qu'à sa clientèle récemment apparue. Dans ces conditions et étant donné les exigences des marchés concurrentiels, comment assurer de quoi vivre à une population nombreuse travaillant sur des métiers à main, et chose tout aussi importante, comment assurer la survivance d'un langage culturel compliqué et de cette sensibilité du goût, labe de qualité et de perfection dans toute tradition, et qui est indispensable à sa continuité ?

Tant de réponses se présentaient à l'esprit, mais il y en eut un certain nombre qui visaient à créer des infrastructures destinées à aider et à promouvoir le développement du tissage manuel, conformément à la forte affirmation politique du rôle du tissage à la main dans l'Inde contemporaine.

L'une de ces réponses fut la création des Weavers'Service Centres, au milieu des années 1950, en tant que services techniques principaux de l'industrie du tissage à la main, prenant en compte la recherche appliquée et l'apprentissage. Ces centres étaient conçus comme des organisations de base, en interaction avec des régions et des techniques particulières, visant à aider à résoudre les problèmes et à faciliter l'introduction des méthodes de tissage nouvelles et pertinentes. Pour une part, ces centres étaient constitués par de jeunes dessinateurs de talent qui contribuaient aux efforts faits pour coordonner une vision contemporaine avec les techniques traditionnelles. Il est important de souligner ici que la conception du dessinateur comme distinct de l'artisan est un phénomène nouveau dans la tradition indienne des métiers d'art.

Cela met en relief le besoin urgent d'aborder ces tensions d'une manière rigoureuse – non pas grâce à une nostalgie facile du genre « revenons au passé où réside notre splendide héritage », mais grâce à des efforts diligents pour façonner une vision contemporaine toute de probité et de rigueur. Nous avons la chance de nous trouver à un carrefour où nous sommes encore libres de choisir notre direction, et où les traditions du métier ne sont pas encore devenues de rares et précieux vestiges du passé qu'il faut préserver et entretenir comme l'héritage de notre histoire culturelle.

Les bases sur lesquelles il faut construire, ce sont les forces et l'étendue de l'activité du tissage à la main, tout en ayant pleine connaissance du secteur des usines textiles et des métiers mécaniques. L'une des forces majeures du tissage manuel est constituée par la masse des tisserands hautement qualifiés, avec leur sens de la couleur, des contextures et des fonctions, avec leur faculté d'adaptation rapide et leur aptitude à produire des métrages relativement faibles, mais ayant des dessins beaucoup plus variés que ce ne serait concevable avec les impératifs de la production en grandes séries des usines de tissage. Lors d'une expérience récente dédiée à Mrs Jayakar, en reconnaissance du rôle capital qu'elle a joué dans le développement de l'industrie du tissage à la main, les Weavers' Service Centres ont élaboré une série de 650 modèles différents d'étoffe de laine grise. Cela fournira un répertoire inestimable de textures de base aux dessinateurs du monde entier — seule la technique du tissage manuel pouvait créer ce répertoire, et elle seule sera en mesure de produire et de lancer sur le marché de pareils tissus dans les genres et les métrages requis.

Un autre foyer d'énergie du secteur du tissage à la main, c'est son aptitude à exécuter des tissus artisanaux de qualité parfaite en employant les matières brutes les plus belles et les techniques les plus raffinées produisant des pièces d'étoffe d'un grand prix. Dans ce domaine plus sujet à discussion, il est essentiel de pouvoir assurer l'artisan que le temps, l'énergie et l'application qu'il lui faut consacrer à l'exécution d'une pièce de qualité exceptionnelle est chose importante. Non seulement sur le plan de la création artistique, mais aussi que cela a un sens sur le plan économique — celui de garantir à l'artisan que le fruit de son travail trouvera preneur sur le marché. L'industrie est incapable de reproduire ces tissus de qualité fabriqués à la main, et cela, pour le moment devrait assurer aux tisserands un marché de choix, même s'il est restreint, auprès de la clientèle riche.

La présente exposition rend hommage à la continuité et à l'épanouissement de la dextérité des tisserands de l'Inde. Elle s'efforce de présenter dans un certain nombre de secteurs techniques, un répertoire de spécialités et de compositions qui font référence, et en même temps d'explorer la richesse et les raffinements possibles à l'intérieur de ces vocabulaires particuliers. Cette exposition vise à jeter les bases d'une vision contemporaine dans la composition des dessins de tissus en mettant à contribution les ressources d'une tradition classique fort riche. Mais si ce n'est qu'un petit pas en direction d'une réaffirmation d'un renouveau de confiance en l'esthétique de cette tradition, il dépassera l'élément ethnique et imitatif et comptera parmi ce qui est essentiel dans l'effort humain universel. Cette unité propre à toute tradition, qui permet à celle-ci de traverser les frontières nationales, et fait reconnaître sa validité non pas en termes d'exotisme, mais en raison de sa valeur intrinsèque.

Asha Sarabhai.

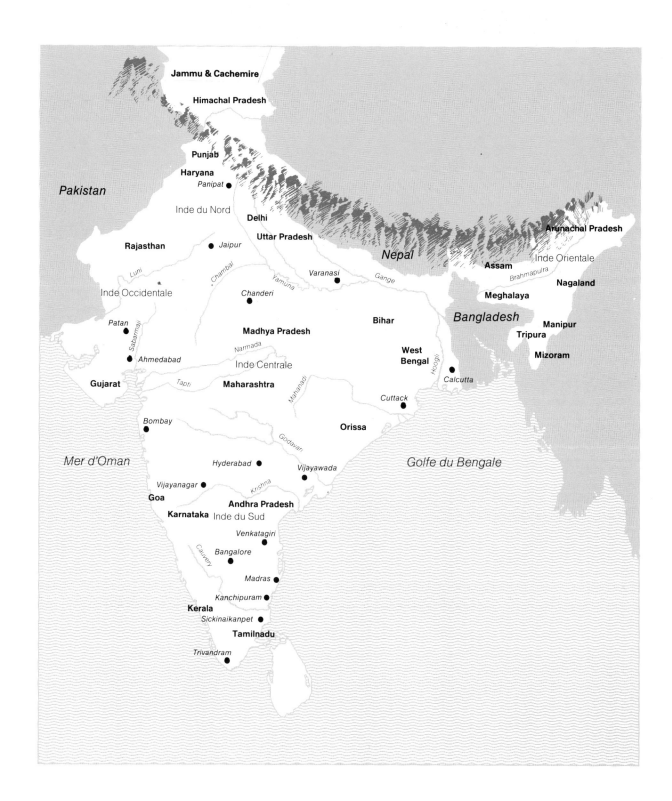

Jammu & Cachemire

Himachal Pradesh

Punjab

Haryana
Panipat ●

Pakistan

Inde du Nord

Delhi

Uttar Pradesh

Rajasthan
● Jaipur

Luni

Chambal

Yamuna

Varanasi ●

Gange

Nepal

Arunachal Pradesh

Inde Orientale

Assam

Brahmapulra

Nagaland

Inde Occidentale

Chanderi ●

Meghalaya

Patan ●

Sabarmati

Madhya Pradesh

Narmada

Bihar

Bangladesh

Manipur

Tripura

● Ahmedabad

Inde Centrale

West
Bengal

Hoogli

Mizoram

Gujarat

Tapti

Maharashtra

Mahanadi

● Calcutta

Cuttack

Mer d'Oman

Bombay ●

Orissa

Godavari

Golfe du Bengale

Hyderabad ●

Vijayawada ●

Vijayanagar ●

Krishna

Goa

Andhra Pradesh

Karnataka   Inde du Sud

Venkatagiri ●

Cauvery

Bangalore ●

Madras ●

Kanchipuram ●

Kerala

Sickinaikanpet

Tamilnadu

Trivandram ●

22

Notes et propos
par Marthand Singh

LE COTON

Karpāsa, terme sanscrit désignant le coton, est apparenté au grec *karpsos (kapoos)* et au latin *carbasus.* Le français coton est apparenté à l'arabe *qutun.*

Il est hors de doute que le tissu de coton était fabriqué au temps de la civilisation de l'Indus, mais on ne trouve pas de référence précise au coton dans le Rigveda. Toutefois, les littératures védique et bouddhiste en général, font d'innombrables allusions à l'art du peignage, du filage, du tissage et aux motifs ornant les tissus.

Toute une variété de fibres végétales telles que *kúsa* ou *darbha, kúsornah, ksauma* (un genre de lin), *umāh* (lin), *śanaha* (jute) semblent avoir été très utilisées au début de la période védique comme matière première du tissage des étoffes. Les Aryens ayant été une communauté pastorale du début des temps védiques, il n'est pas étonnant que la littérature védique fasse d'innombrables références à l'*ūrnāh,* la laine.

Les références au coton ne commencent à apparaître que dans quelques textes post-védiques. Un texte bouddhiste intitulé *Bhikśuni Vinaya* contient l'intéressant passage suivant :

« Elles (les religieuses) montaient sur la terrasse et prenaient le coton (karpāsam) *: l'une d'elles procédait à la sélection* (cikitsitam), *l'autre l'étalait* (vilopitam), *une autre le nettoyait* (piñjitam), *une autre le distribuait* (vinhatam), *une autre encore le filait* (kartitam). *Ensuite elles prenaient l'écheveau et montaient chez la ménagère : « ô, madame, (nous devons vous) faire une faveur ! » (Elle) a dit : « Cela ne me rend pas service, que vous autres honorables ayez pour moi lavé* (piñjeyur), *étalé* (lodheyur), *peigné* (vikaddheyur) *ou filé* (karteyur) *(le coton avec un nœud).*

D'après la littérature védique, le filage était la spécialité des femmes. Dans le Rigveda, le verbe filer se dit *tan* qui signifie étirer. Le mot *tantra* qui signifie chaîne ou fil, dérive de la même racine.

La littérature védique renferme d'innombrables références au tissage. Le tissage des étoffes est souvent utilisé comme métaphore pour décrire les idées cosmiques. La terminologie védique du tissage et de la vannerie est sensiblement la même. Comme l'a signalé Wilhelm Rau, ce n'est pas par hasard que certains termes qui jouent un rôle fondamental dans la philosophie des premiers temps, par exemple, *guna, tarka,* ou ceux qui se rapportent à des formes littéraires comme *grantha, sūtra, tantra, nibandha, prabandha,* dérivent de la terminologie du tissu.

Les termes se rapportant aux modèles et aux ornements tels que *bhinanta* (chaîne détendue sur les bords), *dasa* (glands), *tusa* (bordure brodée) et *upadhayya purvaya* (broderie ou patchwork) se trouvent aussi dans la littérature védique.

Le nom des femmes tisserandes est *vayanti* ou *vayitri,* celui des tisserands est *vasovaya.* Les teinturières sont appelées *rajayitrī.*

Le costume védique des hommes comprenait essentiellement quatre pièces : vêtement de dessous (*tārpya, nīvi*), vêtement de dessus (*pāndara, pāndva paridhāna, vāsas*) et turban (*usnīsa*). Le costume des femmes était fait de deux robes : fond de robe (*candātaka vastra*) et robe de dessus (*vasana, vāsas*).

Les sources gréco-romaines de l'histoire de l'Inde, la littérature classique, les épopées et les *puranas,* la littérature Sangam, les récits mahométans et européens sur l'Inde, les nombreuses inscriptions, sculptures peintures, la tradition orale préservée dans les villages et les traditions survivantes des techniques du tissage, des modèles et des matières employées – tout cela jette une vive lumière sur l'histoire des tissus indiens tels qu'ils étaient produits de région en région.

Avant l'introduction des procédés mécaniques de filage, au début du XIXᵉ siècle, tous les tissus indiens étaient filés et tissés à la main – ils sont populairement connus aujourd'hui sous le nom de *khadi.* Ceux qui sont tissés avec des fils faits à la machine sont dits tissus fabriqués au métier à main.

LA SOIE

La littérature ancienne de l'Inde contient d'innombrables références à la soie.

Nous ne savons pas avec certitude si, dans l'Inde ancienne toute la soie était importée de Chine, ou bien s'il existait dans certains coins des variétés de soie indigène. Des vocables tels que *chinansuka* pour désigner la soie, utilisés dans la littérature ancienne, indiquent que certaines variétés de soie venaient de Chine. Il semble que l'une des variétés de soie les plus affinées, connue sous le nom de « soie du mûrier » soit venue de Chine à une date assez tardive, et que les vers à soie appelés *tasar, muga, eri,* et autres variétés locales étaient indiennes. Les vers *tasar* sont sauvages, se nourissent sur n'importe quels arbres des jungles couvrant la base des vastes étendues de collines du grand plateau de l'Inde. Les vers *muga* sont élevés en Assam et au Bengale. Le fil dévidé ou filé à partir des cocons de *muga* est de couleur or. Les vers *eri* sont chez eux dans les États du Nord-Est, au Bengale et dans certaines parties de l'Uttar Pradesh. Les vers *eri* et *arundee* tirent leur appellation des plantes de même nom qui sont des espèces de ricin commun. Le fil tiré du cocon des *eri* est de couleur blanche.

La soie filée à la main à partir des cocons percés du bombyx s'appelle soie *matka*. Le nom de « soie du mûrier » est donc réservé à la matière tissée avec des fils dévidés à la machine à partir des cocons du bombyx.

On entend souvent dire que le bombyx a été introduit en Inde par la Compagnie des Indes Orientales. George Watt a mis la situation en lumière d'une manière intéressante : il est cependant fort possible, voire très probable que plusieurs tentatives ont pu être faites pour introduire l'industrie de la soie du mûrier en Inde longtemps avant les efforts systématiques de la Compagnie des Indes Orientales. Cet auteur, par exemple, a trouvé en 1882, au cours d'une exploration à Manipur, non seulement une abondance de mûriers dans cet État, mais aussi que le véritable bombyx y abondait également

à l'état à demi sauvage. Toutefois, peu de choses sinon rien, ne justifie la supposition que son introduction dans cette zone géographique de l'Inde ait été l'œuvre de la Compagnie des Indes. Étant donné sa position géographique, Manipur a pu avoir des échanges répétés avec la Chine, mais pour autant qu'on sache, le trafic entre l'Inde et la Chine n'est jamais passé par cet État. Manipur a très bien pu posséder, à l'insu du reste de l'Inde, une industrie de la soie du mûrier plusieurs siècles avant que l'Inde proprement dite ait reçu le bombyx. Toutefois, il n'est pas sans intérêt d'ajouter que nulle part le long de la frontière nord-est (dans le secteur des anciennes voies de communications terrestres avec l'Inde), on ne trouve de mûriers ou de vers se nourrissant de mûrier, sauf dans les conditions d'un élevage très soigné.

Les principales variétés d'étoffes de soie telles que la soie *patola,* les brocarts de soie, ou les tissus mélangés comme les saris *Chanderi* ou *mashroo* sont décrits dans les pages suivantes.

Tissus imprimés à la planche et peints (mordançage et teinture en réserve)

Les différentes manières de créer des motifs ornementaux sur les tissus comprennent la teinture nouée (à l'exclusion de l'*ikat*, l'impression à la planche, la teinture en réserve, le dessin et la peinture, la peinture et l'impression, et la roghan ou lamé.

Les tissus peints et imprimés.

Parmi les plus beaux ensembles de cette tradition, il faut citer quelques-uns des meilleurs spécimens qui subsistent des XVIIe et XVIIIe siècles de tapis et de tentures des régions du Coromandel et du Cujarat ; les tentures de tentes, tapis, couvre-lit, baldaquins de lits de Sironj et Burhanpur, dans le centre de l'Inde, d'Agra et d'autres régions du nord du pays, de Machilipatnam dans la région d'Andhra, Ponneri dans le Tamilnadu, et d'Ahmenabad et d'autres régions du Gujerat, qui furent imprimés et peints du XVIIe au XIXe siècles ; les tentures des temples des régions de Srikalahasti et Madurai, de Burhanpur et de centres du Rajasthan et du Gujera (*pichavais*) qui furent peintes et imprimées du XVIIIe au XXe siècles ; et les tissus *candarvo* destinés au culte de la déesse fabriqués au Gujerat.

Pour la plupart d'entre eux le tissu de coton doit être obligatoirement lavé et amolli afin d'absorber le mordant et la teinture. Dans bon nombre d'exemples anciens de ces tentures, les motifs ornementaux ont été reportés sur l'étoffe à l'aide d'un poncif en papier perforé. Dans la plupart des cas, le premier dessin a été, et est encore, réalisé au moyen d'un style en roseau trempé dans le mordant ou la cire à réserves. Diverses couleurs sont introduites dans le tissu à l'aide de la teinture au mordant et de la teinture en réserve. Dans le cas des tissus peints associés à l'impression à la planche, celles-ci étaient plongées dans le mordant ou la cire de réserve.

Deux écoles quelque peu différentes de tissus peints à la main ont existé dans les régions de Petaboli/Golconde et de Thome/Pulicat, au Coromandel. C'est là qu'on exécutait de grandes tentures murales et de grands tapis à l'usage de nobles Indiens ou Européens. Bien que dans ces deux cas les artisans fussent hindouistes, l'influence persane a dominé à Golconde en raison de la clientèle musulmane. Dans le secteur du Pulicat, le style était plus enraciné dans les peintures murales du royaume hindouiste de Vijayanagar.

Des récits datant au moins du XVIe siècle parlent d'une école de tapis de prière, de tentures de tentes, etc., faites à Burhanpur, alors sous la domination des sultans Farooqi. Leur qualité a nettement décliné après l'invasion des Marathas qui a suivi. Cette école avait pour spécialité des motifs d'arcs polylobés avec d'abondants motifs floraux, souvent avec des fleurs imprimées à la planche et des tiges et des feuillages imprimés à la main ou faits au pochoir. Des travaux similaires se faisaient à Sironj et à Agra.

Aux XVIIe et XVIIIe siècles, un tissu de coton appelé chintz, exécuté au pochoir, teint au mordant, teint en réserve et peint était exporté en Europe, où on l'utilisait pour le costume et l'ameublement. Au XVIIe siècle la majeure partie des chintz, les plus beaux qui venaient en Europe provenaient de l'ouest de l'Inde, ainsi que des centres de Sironj et de Burhanpûr, à l'intérieur du pays, mais après 1700, la côte du Coromandel en était devenue le principal fournisseur. Ceux de l'ouest et du sud de l'Inde étaient ornés d'arbres en fleurs extrêmement stylisés, de plantes grimpantes, de rocailles, d'oiseaux et d'animaux où l'influence chinoise prédominait. Ceux du Sud était marqués par une belle exécution miniaturiste, tandis que ceux de l'Inde occidentale étaient renommés pour la subtilité de leurs couleurs.

Parmi les tentures peintes et imprimées à la planche aux XIXᵉ et XXᵉ siècles, celles produites sur la côte du Coromandel par des artisans persans ou sous la direction de Persans, et celles exécutées au Pendjab, souvent aussi pour les marchés de Perse, étaient des interprétations régionales du style persan. Dans la variété persane du sud de l'Inde, la prépondérance revenait aux bordures, aux médaillons centraux et aux champs remplis de beaux *buta* floraux, de rinceaux de feuillages, de branches et de plantes grimpantes, de paons et de perroquets stylisés. On a aussi découvert des exemples de ce type qui étaient imprimés et peints sur les deux faces. Quelques-uns provenant du Pendjab sont de style persan avec des arcs polylobés, des cyprès et même des portraits de rois de Perse. Le type du Rajasthan montre souvent des bandes et des bordures peuplées de scènes de chasse et des processions royales associées à des arcs et à une belle ornementation florale.

Les tentures de temples à thèmes hindouistes locaux, faites au moins depuis le XVIIIᵉ siècle, embrassent la tradition du sud de Srikalahasti et de Madurai, les traditions de l'Inde centrale et du Rajasthan et celles du Gujarat. Dans le sud elles comprenaient des pièces rectangulaires de tissus ornées, dans un style narratif, de compositions dérivant du Ramayana, du Mahabharata, des Puranas et de beaucoup d'autres histoires religieuses locales, aussi bien que des versions de l'épopée hindouiste. D'ordinaire, la partie centrale était consacrée aux divinités principales ou aux scènes importantes de la légende, autour desquelles les scènes étaient réparties dans un certain nombre de registres. A une période plus récente, ces artisans ont même traité des sujets musulmans et chrétiens. Des tentures de temples Vaisnava et des baldaquins ont été exécutés au Rajasthan et au Kandesh dans cette technique. Dans ce cas, les divers thèmes relatifs au culte de Krishna étaient peints en utilisant une combinaison de planches finement gravées et d'impression très délicate. Le style Kandesh est un exemple frappant de la fusion des styles du nord et du sud.

Au Gujarat, les *matano candarvo*, ou étoffes destinées au culte de la déesse, suivent une antique tradition, et sont encore fabriqués à Ahmedabad. Ces tissus peints à la main et imprimés à la planche servent à créer un enclos sacré autour de l'autel du village consacré à la déesse. Au centre de chaque pièce de tissu, une figure de la déesse est entourée des figures plus petites de dieux, de déesses et de personnages mythologiques auxiliaires. Les planches destinées à ces étoffes sont fabriquées à Pethapur, près de Gandhinagar. Après avoir été lavé à fond, le tissu de coton est apprêté en le plongeant dans un mélange de myrobalan, d'huile et

trempé dans une solution de rouille de fer cuite dans de la farine de graines de tamarinier. Les femmes de la maison remplissent ensuite les interstices avec une solution d'alun. Une fois cuites dans une solution d'alizarine, les parties aluminées produisent une couleur d'un rouge éclatant. Le produit fini est acheté par les castes les plus humbles de la classification traditionnelle hindouiste, en vue de la cérémonie d'invocation à la déesse.

Tissus imprimés à la planche

Avant que les découvertes archéologiques du siècle dernier aient mis au jour une accumulation secrète de fragments de cotons imprimés indiens sur le site de Fostat, près du Caire la plupart d'entre eux étaient exportés de la côte occidentale depuis le début du Moyen Age jusqu'au XVIIIᵉ siècle. On savait peu de choses sur le coton imprimé indien au-delà de deux cents ans, sauf par les rares exemples subsistants. L'étude de certaines des trouvailles de Fostat, faite en 1933 par Pfister, qui a suivi leur trace jusqu'en Inde, a mis en lumière la preuve d'une tradition de ces tissus réellement imprimés à la planche et teints en réserve à l'indigo. Le *hamsa*, ou motif de l'oie, des médaillons floraux et géométriques, les entrelacs parfaits de fleurs et de feuillages, les rinceaux végétaux et les plantes grasses continus qui définissent les bordures, sont suffisamment intéressants et sont comparables aux motifs encore imprimés de nos jours dans les ateliers du Kutch et du nord de Gujarat.

Avant l'invention de l'indigo et de l'alizarine de synthèse utilisés en teinture, les bleus et les rouges étaient traditionnellement extraits de végétaux, *indigofera anil* et *rubia tinctorum*. L'alizarine est la matière colorante qu'on trouvait autrefois dans la garance. La racine de garance, *ruba tinctorum*, largement utilisée en Inde, le *chay*, racine de l'*oldenlandia umbellata*, était très estimé dans le sud pour l'excellence du rouge qu'il fournissait, et l'on trouvait dans le sud, l'ouest et le centre de l'Inde les racines tinctoriales de *morinda citrofolia linn* ou *morinda tinctoria* où elles sont connues sous le nom d'*al* ou *cirang*. C'étaient là les sources principales des teintures indiennes traditionnelles.

L'indigo synthétique a été inventé en Allemagne, en 1870 (époque où les exportations indiennes annuelles se montaient à huit millions de kilos), et l'alizarine synthétique en 1868. De nombreux tissus indiens portant la mention « teintures naturelles » sont produits avec de l'indigo et de l'alizarine de synthèse. Lorsqu'un tissu mordancé avec de l'alun ou un produit acide quelconque est plongé dans une solution d'alizarine on obtient un rouge dont la nuance dépend de la concentration du colorant et du mordant. Un tissu traité à la rouille de fer plongé dans l'alizarine produit un noir ou un brun.

En fait, l'indigo est un pigment insoluble qui, lorsqu'il est fermenté est réduit à une solution instable et s'accroche aux fibres du tissu ; il devient bleu au contact de l'air (c'est un genre d'oxydation). Étant donné cette nature de l'indigo, il était difficile d'imprimer à la planche avec lui, par conséquent dans la majeure partie des textiles imprimés à la planche où l'on trouve de l'indigo, celui-di a été teint en réserve. D'autre part, les tissus mordancés pour la teinture d'alizarine pouvaient être imprimés à la planche, en conséquence il était possible d'obtenir sur ceux-ci de nombreuses formes et de nombreux motifs. D'autres colorants naturels tels que curcuma (safran des Indes), pelure de grenade, *manjit* (plante du type garance), myrobalan, gomme laque, katechu, etc., étaient utilisés pour obtenir des jaunes, des bruns, verts, etc. suivant les régions.

Les teinturiers et imprimeurs étaient de religion hindouiste ou musulmane. Les planches d'impression étaient faites par des graveurs spécialisés, mais il arrivait parfois que les imprimeurs gravent leurs propres planches. L'impression à la planche sur calicot semble avoir été de tradition dans les régions d'Ahmenabad, Surat, Broach, Baroda, Deesa, Rajkot, Jamnagar, Bhavnagar, Jetpur, Bhuj, Mundra, Dhamadka, Khawda (au Gujarat) ; Sanganer, Bagru, Jodhpur, Bikaner, Barmer, Balotra, Udaipur, Ajmer ; Pipad, Kota, Chitorgarh (au Radjastham) ; Gwalior, Patlam, Mandasor, Indore, Ujjain, Burhanpur (au Madhya Pradesh), Lucknow, Kanauj, Farukhabad, Fatehpur, Agra, Allahabad, Kanpur, Mirzapur, Varnasi, Tanda, Mathura (en Uttar Pradesh) ; Bombay, Dharwar, Nasik, Nagpur la région de Khandesh (au Maharashtra), ainsi qu'à Tiruppur et aux alentours, Mangalore, Machilipatnam, Chirala, Vijayavada, Tuni, Kumbhakonam, Kodailkaruppur, Ponneri, Madras, Thanjavur (au sud de l'Inde). Des ateliers d'imprimeurs existent toujours dans ces localités.

La nature, les besoins, les modèles, le développement de l'utilisation traditionnelle des tissus, sont extrêmement locaux pour des raisons sociales et économiques, aussi bien que pour des raisons purement conceptuelles. C'est cette tendance traditionnelle à la différenciation qui explique la diversité des vocabulaires stylistiques de ce qu'il est traditionnellement possible de se procurer dans le pays.

Les tissus de la côte occidentale ou d Gujarat sont très largement en rapport avec l'impressio et la teinture en réserve. A Dhamadka, dans le Kutch, l maître imprimeur Khatri Mamad Siddik produit des *ajrakh* en utilisant une succession extrêmement habile d'impressions et de teintures directes et en réserve. Ce sont de étoffes qui sont imprimées avec une grande précision au deux faces du tissu. Certains des motifs géométriques d l'*ajrakh* et d'autres motifs de formes simples, de mêm que la répétition de certains petits *buti* floraux particulier provenant du Kutch, sont étroitement apparentés ave certains modèles trouvés à Fostat. On ne trouve pas le contours parfaits du travail kutchi à Ahmedabad et dans l nord du Gujarat, où l'on préfère des motifs plus libres. E 1903, l'insigne observateur et collectionneur qu'était S George Watt, a observé un procédé analogue d'impres sion aux deux faces du tissu à Sanganer, près de Jaipur Watt a décrit élogieusement l'excellente teinture au paste de l'époque, il reconnaît la pureté de la tradition mais souligne le bas niveau des salaires. Aujourd'hui cett métropole de l'impression sur calicot a beaucoup perd de son importance.

Dans les impressions Sangeneri tradi tionnelles du Rajasthan, le fond était d'un blanc pur ou d ton pastel avec des pommes de conifères, des *buti* et de rameaux de fleurs en semis ou contenus dans des bordu res symétriques. Kota était connu pour ses saris bleu-noi avec des rayures blanches en réserce. Les *buti* d'Ajme étaient caractérisés par un beau contour noir. Les impressions de Jodhpur, comme celles de Sanganer, faites pou l'usage des villageoises, étaient souvent marquées pa des raies serrées écarlates ou d'un rouge brique terne orange et citron sur vert mousse, ou d'un pourpre écla tant sur fond indigo courant tout le long du métrage d tissu de fabrication domestique. Les couvre-lits et le couvertures piquées de Kanauj, Farukhabad et Lucknow sont ornés de beaux *buti* cachemire verts, bleus et rouge imprimés d'une manière très dense sur un fond blanc.

Roghan ou lamé

Lorsqu'on fait chauffer de l'huile d carthame, de l'huile de ricin ou de l'huile de lin pendan plus de douze heures, et qu'on les jette dans l'eau froide on obtient un résidu épais appelé *roghan* que l'on peu mélanger à des oxydes ou à des pigments colorés. Ave un style, l'artisan tire de ce résidu un mince fil qu'il appli que sur le tissu pour créer un motif en relief.

Les artisans du Nirona, dans le nord d Kutch, exécutent soigneusement un contour en *roghan* épais sur le quart d'un tissu rectangulaire qui, plié en deu verticalement puis horizontalement, imprime le dessin su

28

es trois autres quarts du tissu. De nos jours, Nirona est le seul endroit où l'on fait encore ce travail, alors que Chowbari, dans le Kutch oriental, Ahmedabad, Baroda et Patan, dans le Gujarat, ainsi que plusieurs autres localités de l'Inde du Nord, étaient connus pour leurs travaux de ce genre.

Lorsque l'adhésif est imprimé sur le tissu puis saupoudré de poudre d'or et d'argent (et même, en certains endroits, de feuilles d'or), on appelle ce travail *chadi*. Les méthodes de préparation de l'adhésif varient selon les localités, mais en général, après avoir imprimé l'adhésif à la planche, on fait sécher le tissu à l'ombre, puis on l'humecte progressivement jusqu'à ce que l'eau pénètre le tissu et amollisse de nouveau l'adhésif, c'est à ce stade que l'or ou l'argent sont appliqués sur la surface.

Jaipur, Sanganer, Udaipur, Mandasor, Nasik, Ahmedabad, Baroda, Bombay et plusieurs centres des régions de Madras et d'Andhra sont connus pour l'impression à l'or ou l'argent. Cette technique a été utilisée avec d'excellents résultats sur des *dupattas,* des saris et des turbans. Il s'est révélé particulièrement résistant sur les bannières, les lourdes tentures de tentes, les tapis de selle, les couvertures de berceaux et les reliures.

Tissus avec fils en réserve, nœuds en réserve, chaîne en réserve

Les techniques de teinture en réserve, l'utilisation de l'argile ou de la cire pour faire les réserves, étaient connues depuis longtemps par les imprimeurs de tissus et les teinturiers indiens qui imprimaient ou dessinaient sur le tissu avec ces matières puis l'immergeaient et le réimmergeaient dans la teinture. Faire des réserves sur la chaîne ou sur la trame, ou sur les deux avant le tissage avec des fils noués, puis teindre le fil, est un procédé plus intéressant qui requiert une dextérité plus grande. Et ceci semble être plus proche des procédés de réserves nouées et de réserves sur chaîne après tissage, que de l'application ou l'impression d'une réserve sur la surface d'une étoffe. Parmi les diverses techniques de teinture en réserve, celles qui sont traditionnellement connues en Inde sont :

1. L'*Ikat,* technique par laquelle la chaîne ou la trame, ou les deux peuvent être teintes, nouées de manière qu'une

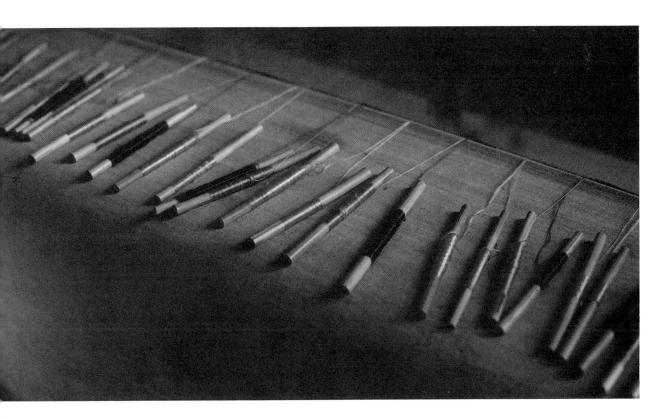

fois tissées le motif « programmé » apparaisse sur le tissu fini. Les principaux courants de l'*ikat* sont le *patola* qui est le tissu de soie, *ikat* double du Gujarat ; l'*ikat* d'Orissa et d'Andhra Pradesh et quelques *masru* ou tissus mélangés, coton armuré satin et soie du Gujarat et d'ailleurs.

2. *Bandhej,* technique de la teinture sur tissus noués qui comprend les *bandhanir* du Gujarat et du Rajasthan et les *laherias* ou réserves sur chaîne du Rajasthan.
Techniques *Ikat* (réserves sur fils).

La littérature médiévale du Gujarat abonde en références sur les *patola* du Gujarat qui indiquent que c'étaient des saris ou *odhni,* en soie précieuse dont les motifs étaient considérés comme clairs et raisonnablement durables. Le mot *patola* dérive probablement du sanscrit *pattakula* signifiant étoffe de soie, d'où la vieille expression du Gujarat *pattauladi. Patola,* comme nous le savons, est une étoffe de soie double-*ikat,* dont la chaîne et la trame ont été teintes en réserve de manière à ce qu'une fois tissés les éléments du motif de la chaîne et de la trame s'engrènent pour créer la richesse désirée de la figure et du fond. Un très léger décalage dans la texture, produit comme un effet de « flamme » qui fait toute la beauté du *patola,* et qui va de pair avec l'éclat de sa technique et de sa conception. Cet effet doit être presque imperceptible dans le pur *patola* ; il est délibérément contrôlé et réduit au minimum.

On dit qu'autrefois les *patolas* étaient tissés à Ahmedabad, Surat, Cambray et à Patan, dans le Gujarat, de même qu'à Jalna, dans le Maharashtra et à Burhanpur au Madhya Pradesh. De nos jours, le véritable *patola* n'est fait qu'à Patan par un couple de familles Salvi qui sont des tisserands traditionnels de *patola.*

Depuis le haut Moyen Age, dans d'autres parties de l'Indonésie et dans l'archipel malais, où il était utilisé à la cour, dans les cérémonies et pour des occasions rituelles le patola était tellement associé à la richesse et tellement recherché qu'il a en quelque sorte ensemencé les traditions textiles locales, soit qu'il fut imité par des impressions à la planche, soit par le double-*ikat* en coton, plus pur, connu sous le nom de *geringsing.* En tant que tissu commercial, il a joué un rôle capital dans le commerce des épices, au XVIIe siècle ; mais par la suite son importance a beaucoup baissé lorsque les cotonnades peintes et imprimées venues de l'Ouest se sont développées avec le colonialisme.

Si un *patola* ne peut pas être un sari de noces au sens strict du terme, c'est-à-dire porté par la fiancée, il peut être porté par les femmes à l'occasion de fêtes, ou comme châle par le fiancé.

Le tissu passe par toute une gamme de rouge indien, vert émeraude et d'indigo ou de brun foncé/noir, avec dessins blancs ou jaunes ; et qu'il s'agisse de motifs géométriques ou floraux répétés d'oiseaux, d'animaux et de danseurs, les dessins et le fond seront toujours parfaitement équilibrés. Les *ikats* de l'Orissa : dans le *patola* de Patan le rouge vif des motifs apparaît grâce à l'appariement des éléments de motifs teints en réserve sur la chaîne et sur la trame, tandis que dans les *ikats* de l'Orissa il arrive souvent que le rouge soit en demi-teinte parce que — bien que la chaîne et la trame aient été teintes en réserve — « les dessins des deux systèmes de fils ne se recouvrent pas ». En d'autres termes, dans l'Orissa on nous a offert l'« *ikat* sur chaîne, l'*ikat* sur trame et l'*ikat* combiné. Une autre caractéristique de l'*ikat* de l'Orissa, c'est que quelques motifs du *pallav* et de la bordure sont créés non pas en utilisant l'*ikat* seul, mais très souvent en tissant avec une trame supplémentaire. Allant du sari (avec diverses longueurs et largeurs répondant aux usages locaux de l'Orissa) au métrages utilisés pour les vêtements et l'ameublement, une grande variété d'*ikats* destinée aux usages classiques ou moderne est produite dans les diverses régions de l'Orissa, dont Sonepur et Bargarh étaient autrefois renommés pour leurs belles cotonnades, et Cuttak pour ses variétés de soie. De nos jours, bien que ces centres aient conservé leurs techniques traditionnelles, les anciens tisserands de coton se sont mis à tisser la soie et le *tussar* et vice versa. Pour ce qui est de l'audace de la conception et la diversité des motifs, les *ikats* de l'Orissa sont totalement différents de ceux de Patan qui sont disciplinés, subtils et parfaits.

Les *Ikats* de l'Andhra Pradesh : jusqu'au début de notre siècle, Chirala, en Andhra Pradesh, étaient renommés pour un genre ravissant de saris de coton *lungi,* rumal, et pour ses tissus au mètre dans la gamme des techniques *ikat.* L'une des productions de cette localité est connue sous le nom de *telia rumal,* tissu à usages multiples utilisé comme *lungi,* pagne, châle et aussi tissu pour turban qui était un article d'exportation en vogue vers de nombreux pays islamiques. A cause de l'utilisation massive de *tele,* huile, dans la préparation du fil à tisser cette variété de tissu a mérité le nom de *telia,* ce qui signifie « huileux ». Au milieu de notre siècle, le All India Handicrafts Board a donné un regain de vie à des localités comme Chirala, Pochampalli, Puttapaka et Koyyalagudem de sorte que ces villes et d'autres proches d'elles sont devenues des centres importants de production pour ce que l'on appelle à présent les *ikats* de Haiderabad. Bon nombre de nouvelles expériences ont été entreprises et d'autres règles imposées depuis lors. Les techniques et les modèles de *telia rumal* ont été adaptés pour faire des saris, des couvertures de lit et des tissus au mètre.

echniques *Bhandej* (réserves nouées)

handej est un vocable courant dans le nord de l'Inde qui ésigne les tissus teints en réserves nouées. Dans le »ujarat on les appelle *bhandani,* mot qui signifie « lien » ou construction ». La technique *bhandej* diffère de l'*ikat* en e que la première implique que le nouage et la teinture ont faits après tissage, tandis que dans la dernière la einture est faite avant.

Au Rajasthan et au Gujarat les *khatris* ndouistes et musulmans participent à l'ouvrage, les ommes teignent et les femmes font les nœuds. Lorsque e tissu est fait, le teinturier le lave et le blanchit pour le réparer à absorber les teintures, Ensuite il plie le tissu en eux ou en quatre et imprime le dessin en *geru,* argile ouge mélangée dans de l'eau. Puis il envoie le tissu aux emmes qui procèdent au nouage. Les femmes suivent s lignes du dessin imprimé et à intervalles rapprochés out au long de ces lignes, elles nouent fortement un fil u'elles ont soulevé avec leurs ongles pointus, ce qui fait aillir faiblement le tissu. Le tissu ainsi noué est plongé ans une première teinture de couleur claire. Les parties éservées conservent la couleur originale du tissu. Si une econde teinture est exigée, les parties devant conserver a première teinture sont nouées pour être en réserve puis e tissu est plongé dans une teinture plus foncée. Ce pro essus peut être répété plusieurs fois pour combiner plu ieurs couleurs. Quand le tissu est prêt, on le lave pour liminer l'excès de teinture, mais les nœuds ne sont pas oupés tant que l'acheteur n'en fait pas la demande. Une ois ouvert le tissu présente un aspect uniformément osselé à l'endroit des nœudss et généralement rétréci en aison de la légère tension qu'il a subie. Il en résulte que orsqu'on le porte, le tissu présente des points en saillie ur les parties pleinement tendues sur le corps et des oints d'un très faible relief sur les parties moins tendues.

Jamnagar et Bhuj dans le Gujarat, et aipur, Jodhpur, Udaipur, Bikaner et Ajmer au Rajasthan omptent au nombre des centres les plus réputés de la echnique *bandhej.*

Dans les familles aristocratiques hin louistes du Gujarat, la coutume voulait que la jeune pousée, en même temps que divers saris et *odhnis* teints n réserve nouée, jette sur ses épaules une étoffe spé iale nommée *gharcolu* qui était souvent teinte en réserve ouée de motifs symboliques disposés dans des compar ments formés par du brocart ou des broderies d'or et l'argent.

Les turbans de coton fin, teints en éserve nouée, étaient autrefois extrêmement en vogue hez les hommes du Rajasthan et du Gujarat.

Technique *laheria* (réserves sur chaîne)

Dans la technique *laheria,* littéralement : « vagues », le motif des vagues est teint en réserve. L'étoffe de coton très fin est roulée en diagonale et les réserves faites en l'attachant par des fils à intervalles rapprochés. Quand on trempe le tissu dans la teinture les réserves forment des rayures sur la couleur du fond. En répétant les processus, en dénouant ou non les attaches, on peut obtenir des rayures de couleurs différentes. Si le tissu est ouvert après cette opération, et roulé de nouveau en sens inverse, puis teint en réserve, on obtiendra un motif en treillis ou un damier. La technique *laheria* est surtout utilisée au Rajas than, mais aussi dans certaines parties du Madhya Pradesh, pour faire des blouses et des *odhnis* pour les femmes et des turbans pour les hommes.

Masru : bon nombre de spécialistes de l'histoire du tissu pensent, sans raison explicite, que le tissu *masru* était permis aux musulmans au lieu de la soie qui était prohibée. Les recherches socio-culturelles sur les musulmans de l'Inde n'en apportent aucune preuve. Le *masru,* tissu à armure satin et principalement orné de motifs à rayures, est d'ordinaire classé parmi les « tissus mélangés », parce que dans la plupart des *masrus* la chaîne est en soie et la trame en coton. On le classe parfois parmi les tissus teints en réserve parce que dans certains *masrus* la chaîne est teinte de cette façon. Ce tissu est largement utilisé dans l'Inde entière pour le vête ment ou l'ameublement, les miniatures en apportent la preuve irréfutable.

De nos jours, le *masru* est surtout fabri qué à Patan, au nord du Gujarat, à Surat, au sud du Gujarat et à Mandvi, dans le Kutch.

Tissus brochés

Depuis le Rigveda, on trouve plusieurs allusions aux « brochés » dans les littératures brahma nique, puranique, classique, jaïniste et bouddhiste, mais on ne voit pas clairement si tous les tissus mentionnés étaient réellement des brochers, et de quel genre. Bon nombre de spécialistes ont « identifié » des brochés sur les sculptures indiennes anciennes, dans les fresques d'Ajanta, dans les manuscrits illustrés et la peinture de miniatures, en raison de l'existence de certains motifs. Mais pour une grande part, ce ne sont que des hypo thèses.

Les brochés sont des tissus où les dessins sont créés en faisant passer les fils du motif entre les fils de chaîne. Dans le tissage normal le fil de trame passe par-dessus et par-dessous chaque fil de chaîne. Mais lorsqu'on tisse des motifs brochés avec des fils d'or, d'argent, de soie ou de coton, des fils spéciaux sont lancés en sautant le passage de la trame normale par-dessus un certain nombre de fils de chaîne (selon le motif à obtenir) et en régularisant ces sauts au moyen de lices arrangées au préalable pour chaque type de motifs ; il peut y avoir plusieurs jeux de lices disposées de telle sorte qu'au lieu de soulever tous les fils alternés, elles soulèvent ou baissent suivant le cas un nombre irrégulier de fils à chaque passage, selon les exigences du motif.

Les broches se répartissent en deux classes principales selon la nature des fils du motif :
1. broches de coton, brochés de soie et broches mélangés.
2. broches *zari*

Broches de coton, broches de soie et broches mélangés

Jamdani : Le *jamdani,* ou « mousseline brochée », tissé traditionnellement au Bengale et dans certaines parties du nord de l'Inde, peut être c onsidéré comme l'une des productions les plus belles du métier à tisser indien. Ici, le tissu de coton est broché avec du coton, rarement avec des fils *zari*. Le *jamdani* est tissé en lançant le fil du motif entre un nombre plus ou moins grand de fils de chaîne, en proportion du motif, puis en lançant la navette pour passer la trame normale. En répétant l'opération, dans laquelle la longueur et la place du fil coupé correspond au caractère du motif, le tisserand *jamdani* produit une série

de dessins compliqués. Quelques-uns des motifs tradi tionnels du *jamdani* comprenaient le *cameli* (jasmin), le *panna hazar* (mille émeraudes), le *genda buti* (fleur de souci), le *pan buti* (en forme de feuille), le *tircha* (rayure en diagonale), etc. Le dessin le plus séduisant du sa *jamdani* était le *konia*, ou motif d'angle qui avait une mangue *buta* florale. *Balucar,* les tisserands de Murshi dabad tissaient un sari broché de soie appelé *balucar* su un métier semblable à celui du tisserand de *jamdani*. Le fond de ce sari était violet foncé ou marron. Les bordures et le *pallav* étaient ornés d'un motif floral et libremen symbolique. D'ordinaire, le fond disparaissait sous de petits *buti*.

Broches *Paithani* : le village de Paithan a été réputé pou un genre particulier de sari de soie à bordures et *pallav* d'or avec des motifs en soie brochée. Dans les broché *zari* de Varnasi et du Gujurat, la soie était parfois utilisée pour accentuer une petite partie des motifs d'or o d'argent, eux-mêmes brochés sur le fond de soie. Mai dans les bordures et les *pallav* du sari de Paithan, le fond était en or et le motif en fils de soie de couleurs. Le motifs d'oies, de perroquets, de paons, de feuillage stylisés, de fleurs et de plantes grimpantes traités dan des verts, jaunes, rouges et bleus foncés, étaient très en vogue. On faisait aussi des couvre-lits et des châles en utilisant le même genre de bordures et de panneaux.

Himru : l'*himru* peut être défini comme une broche de coton et soie, dans lequel la trame de soie utilisée pou les motifs n'est lancée sur la surface du tissu que çà et là

ux endroits où le motif apparaît, le reste de la trame pendant mollement au-dessous. L'*himru* diffère des utres « tissus mélangés » tels que le *masru*, dans lequel surface est entièrement couverte de soie avec un satin ormal.

urangabad, Tiruchchirappalli, Surat, Ahmenabad et arnasi étaient autrefois réputés pour l'*himru*. Étant nné sa couche de trame de soie supplémentaire, ce ssu était chaud, donc idéal pour les vêtements d'hiver. n le recherchait aussi pour l'ameublement.

roches *zari*

La broche *zari* est un tissu dans lequel s fils d'or et d'argent sont utilisés avec ou sans fils de ie, soit comme trames ou chaînes spéciales destinées à réer une ornementation brillante en relief. Quand on parle e fils d'or ou d'argent, il faut entendre que les fils d'« or » sont en réalité que des fils d'argent doré étroitement nroulés autour d'un fil de soie.

Le catalogue de l'exposition de Delhi par r George Watt est la source la plus ancienne qui nous nseigne sur les broches, les détails de leurs techniques, définition et la classification des genres de broches, et description de tissus brochés appartenant aux diffé- ntes parties de l'Inde. D'après Watt, Varnasi, Surat, hmedabad, Agra, Delhi, Burhanpur, Tiruchchirappalli, hanjavur étaient des centres importants de la fabrication s broches. Selon ses dires, lorsque l'or était à peine sible, le tissu était le *kinkhab* proprement dit, trop lourd ur en faire des vêtements, en conséquence, on employait pour les caparaçons, les tentures et l'ameu- ement. Seul ce tissu, sur lequel les motifs *zari* sont sséminés, était un broché authentique. Il était utilisé ur l'habillement.

A en juger d'après les tissus exposés écrits par Watt, les broches d'Ahmedabad-Surat préfé- ient des fonds de soie de teintes foncées comme les arrons, verts, rouges foncés et même bleu-noir et noir es deux derniers provenant de Surat). Toutefois, Watt entionne des morceaux de broches d'Ahmedabad, atant alors d'une centaine d'années, qui présentaient s « tons pâles et opulents ». Il semble que les broches e Varnasi aient souvent des fonds de couleurs douces : anc, crème, paille, jaune pâle, vert pâle, rouge brique, c. Les motifs préférés étaient les *buta*, les *buti*, les antes et les arbres en fleurs, les fleurs de pavot, les nceaux de feuillages et des rubans, des oiseaux, des nimaux et la figure humaine. Pour leur part, les pommes e pin et les *buti* dans le champ du sari, ou des *buti* en angées obliques alternées étaient les motifs de l'Inde de uest. Là, les contours foncés cernant les motifs *zari*

étaient également en vogue. Dans l'ouest de l'Inde, les formes des *buti* et des oiseaux étaient plus archaïques, tandis qu'à Varnasi ils étaient dans le style moghol et, de ce fait, plus raffinés.

Les saris brochés et les châles de Tiruchchirappali et de Thanjavur étaient souvent ornés de bandes d'or et de lignes de *buti* d'or sur le fond de soie.

Broderie

La broderie, ou art d'exécuter à l'aiguille, sur une étoffe, des motifs ornementaux en relief avec des fils de soie, de coton, d'or ou d'argent, est connue en Inde depuis les temps les plus anciens. Lucknow était réputé pour sa broderie *chikan*, faite sur une mousseline blanche au plumetis simple ou inversé, au point de feston, au point de reprise, au point d'armes, filet et application.

Le Bengale est célèbre pour sa broderie *kantha*, dans laquelle une surface piquée est brodée avec de vieux fils indigo ou garance recyclés à partir de vieux saris. Les broderies *kanthas* étaient remplies de motifs d'oiseaux, d'animaux et d'arbres pleins d'animation, ou d'une charmante interprétation de chemins de fer, d'aéro- planes ou encore d'épisodes tirés de la légende ou de la vie quotidienne.

Le Punjab est connu pour son *phulkari* – forme de broderie faite au point de reprise, avec des fils de soie floche couvrant toute la surface du coton grossier de fabrication domestique teint en indigo ou en garance.

Les *rumals* proverbiaux de l'État monta- gneux de Chamba représentaient des scènes mytholo- giques en utilisant le point coulé pour les contours et le point de reprise pour les remplissages. Dans le meilleur des cas, les scènes apparaissaient identiques sur les deux faces du tissu (broderie sans envers).

Les habitants de Kutch et de Saurashtra, dans le Gujarat, et ceux de Jaisalmer, au Rajasthan, uti- lisent la broderie à profusion dans leur vie quotidienne – tant pour le costume que pour l'ameublement.

Les costumes richement brodés des communautés pastorales islamiques de la région Banni de Kutch et les maroquiniers Meghval transforment le morne désert en un paysage coloré. Kutch, Badmer et Jaisalmer appartiennent à la grande constellation de la broderie du Sind.

Dans le Saurashtra, les Kathis sont réputés pour leurs frises de murs, de portes et de fenêtres, leurs baldaquins, tentures murales carrées, dais pour bœufs et chevaux, et leurs costumes aux broderies de soie floche sur fond de coton ou de satin, avec d'opulentes bordures florales et des compositions symboliques.

En utilisant deux ou trois nuances de rouge et de violet et en brodant aux points de tige, d'épines ou de chaînette, les brodeurs du Cachemire ont créé de beaux motifs cachemire sur leurs drapés de coton et de Caine.

Sari

Dans l'Inde traditionnelle, des métrages de tissus sans coutures drapés autour du corps constituaient le principal vêtement des hommes et des femmes. Il est évident que dans la plupart des régions de l'Inde, dès les temps les plus reculés, les hommes nouaient un turban autour de leur tête, un *dhoti* ou un *lungi* autour de leur taille et portaient sur les épaules une étoffe flottante comme une écharpe ou un châle. Les femmes portaient un vêtement bas drapé et se couvraient le torse et parfois la tête avec une seconde étoffe appelée *odhni* dans le nord de l'Inde, et qui portait des noms différents suivant les régions. Ce serait une erreur de croire que ces vêtements enveloppants n'étaient pas « structurés » parce qu'ils n'étaient pas cousus. Le *dhoti* et le *lungi*, le drapé inférieur des femmes et l'*odhni*, le *sari* ou *dupatta* étaient aussi structurés que des vêtements cousus parce qu'ils étaient bien dessinés, superbement appropriés au climat et qu'ils suivaient certaines convenances et proportions excellentes articulées sur des normes socioculturelles. Le statut matrimonial d'une femme, sa sous-caste, son lieu d'origine et les circonstances particulières, s'il y en avait, pouvaient être immédiatement compris (et non pas verbalement) par la communauté traditionnelle dans laquelle

elle vivait à la vue du sari qu'elle portait. Une femme de Madras ne portait jamais son sari à la manière d'une femme du Gujarat ; bien qu'il fût matériellement possible de porter le même sari de deux manières différentes, ce ne l'était pas sur le plan culturel. Culturellement parlant, le sari était « structuré ». Il y a diverses manières conventionnelles et cérémoniales de draper un sari. Suivant le lieu et la circonstance, un sari était « structuré » de nouveau chaque jour. D'autre part, étant donné une certaine flexibilité dans la manière de le draper, le sari pouvait être facilement adapté aux circonstances. Lorsqu'elle travaille à la ferme ou vaque à son ménage, une femme peut retrousser son sari et le rentrer dans les plis qu'il forme à la taille. Dans plusieurs sociétés indiennes traditionnelles, la coutume voulait qu'on se voile la face pendant le culte, en recevant des hôtes ou devant les personnes âgées. Ce qu'on peut faire commodément avec un sari.

Croire que le vêtement cousu indique une technologie plus avancée que le vêtement drapé est une autre idée fausse. L'Inde connaissait l'aiguille au moins depuis l'âge chalcolithique et par conséquent, probablement l'art de coudre. Mais tout le développement complexe du tissu, la manière et l'évolution du style dans le port des turbans, saris et *dhotis* précèdent la connaissance de l'art de la couture.

De nos jours, dans les zones urbaines et semi-urbaines de l'Inde, les hommes ont pratiquement renoncé à leur manière traditionnelle de se vêtir ; la vie a été transférée du sol frais et soigneusement balayé aux chaises, aux tables et aux lits surélevés ; il est devenu normal de voyager en utilisant les moyens de transport mécanique ; les méthodes de l'économie et de la production se sont radicalement transformées, mais le sari est un facteur qui demeure constant dans la vie de la femme indienne.

Le mot sari est la forme anglicisée de *sadi* qui existait en prakrit sous la forme *sadia*, et provenait du sanskrit *sati*, mot signifiant bande d'étoffe. *Sati* apparaît dans le Mahabharata, peut-être même plus tôt, mais il est difficile de mesurer exactement la nature de ce vêtement et la manière dont il était porté. Il est certain que l'art de le porter était extrêmement cultivé. La littérature ancienne de l'Inde renferme d'innombrables références aux vêtements drapés et à leur style. Dans la littérature bouddhiste on rencontre des références à la variété des extrémités plissées de ces vêtements, ce sont : *hastisaundaka*, c'est-à-dire ressemblant à la trompe d'un éléphant, *matsyavalaka*, ou « queue de poisson », *talavarntaka,* ou la « palmette » et *satavallika* qui signifie « ayant d'innombrables plis fins ».

Il est évident que dans bon nombre de régions traditionnelles de l'Inde on avait coutume de draper une certaine longueur d'étoffe autour de la taille et une autre autour du torse et sur la tête. Comme le *pallav* du sari est le morceau tombant après avoir drapé les membres inférieurs et le torse, et étant donné qu'on pouvait le ramener sur la tête si nécessaire, on pourrait émettre une hypothèse prudente et dire que le sari actuel s'est développé à partir du vêtement deux pièces traditionnel des femmes. Bien que le sari de ville moderne soit replié dans un jupon cousu et porté avec une blouse étroitement ajustée, il faut noter qu'à un stade peut-être intermédiaire, encore préservé au Bengale, dans l'Orissa et d'autres parties de l'Inde, il était moins long et porté sans jupon ni blouse. Il est certain, suivant les sources littéraires, les représentations peintes ou sculptées et les coutumes traditionnelles qui subsistent, que le jupon et la blouse portés avec le sari sont de date relativement récente.

En ce qui concerne la longueur de tissu et les proportions du vêtement drapé, il faut dire que selon l'aire culturelle et l'utilisation, elles varient et vont d'une pièce de tissu presque carrée d'environ 1,25 m de côté, au sari de ville rectangulaire classique, d'environ 5 m de long sur 1,20 m de large. Ces pièces d'étoffe peuvent être en soie, en coton ou en fil mélangé, être unies ou ornées de brocart, de broderies, d'impressions, teintes en réserve ou simplement ornées de motifs tissés. Étant donné que le sari continue d'être le vêtement féminin le plus populaire en Inde, on peut dire qu'il est l'épine dorsale de l'industrie du tissage à la main. Si l'on considère la variété de dessins, textures, techniques, matières employées dans le sari, seule la technologie du métier à main saurait être appropriée à sa production.

M.S.

Catalogue

Les cinq divisions, adoptées pour le classement des tissus correspondent à cinq procédés pour les décorer :
1 - contextures,
2 - brochés,
3 - ikats,
4 - impressions,
5 - tissus peints.

– la flèche placée près de la reproduction indique le sens de la chaîne ;
– les dimensions sont données en cm ;
– les définitions données dans le glossaire ont été rédigées à partir du vocabulaire français du CIETA (Centre International d'Étude des Textiles Anciens, Lyon).

Glossaire

Armure : système d'entrelacement des fils de chaîne et de trame, suivant des règles nettement définies.

Barré : décor en bandes parallèles à la trame.

Broché : Effet de dessin formé par une trame qui limite son emploi à la largeur des motifs qu'elle produit.

contexture : combinaison d'armures et de matières.

Espolliné : technique de trame partielle à accrochage, également employée dans les châles du cachemire.

Ikat : réserve par ligature sur écheveau. On distingue ikat chaîne, ikat trame, on double ikat suivant que la chaîne ou la trame seule ou les deux éléments du tissu sont « ikatés ».

Lancé : effet de dessin formé par une trame supplémentaire passant dans toute la largeur du tissu.

Palloo : voir sari.

Patola : sari en double ikat, tissé dans le Gujarat.

Poil traînant : effet de dessin formé par des fils de chaîne supplémentaires (poils) passant dans toute la longueur du tissu. (Ce procédé en chaîne fait pendant au lancé en trame).

Rayé : décor en raies parallèles à la chaîne.

Sari : pièce de tissu dont les dimensions minimum sont 120 × 480 cm et que les femmes de l'Inde portent drapée. Le décor du sari se compose de trois zones : la partie centrale ou champ, les bordures latérales et le palloo, extrémité la plus visible et donc la plus décorée.

Sergé : armure à côtes obliques.

Taffetas : armure dans laquelle les fils impairs et pairs alternent à chaque coup, au-dessus et au-dessous de la trame. Ce terme est utilisé pour désigner l'armure tissée en soie. Ici, ce terme désigne également les armures dont seule la chaîne est en soie.

Telia Rumal : terme indien désignant un panneau rectangulaire ikaté.

Toile : synonyme de taffetas plus généralement utilisé pour des fibres discontinues (laine, coton...).

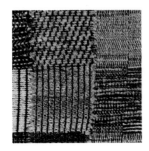 Contextures

1.1.
Panneau en piqué de coton,
décor en damier
obtenu par opposition
de différents motifs.
234 × 490
réalisé par : Weavers Service Centre
Delhi

1.2.
Panneau à décor en damier
obtenu
par opposition d'armures,
tout soie.
188 × 374
réalisé par : Weavers Service Centre
Varanasi
Uttar Pradesh.

1.3.
Panneau à décor en damier
obtenu
par différents effets de trame
sur fond toile,
chaîne soie — trame coton.
236 × 448
réalisé par : Weavers Service Centre
Bombay
Naharashtra

1.4.
Panneau en piqué de coton,
décor en damier
obtenu par opposition
de différents motifs.
234 × 432
réalisé par : Weavers Service Centre
Delhi

→

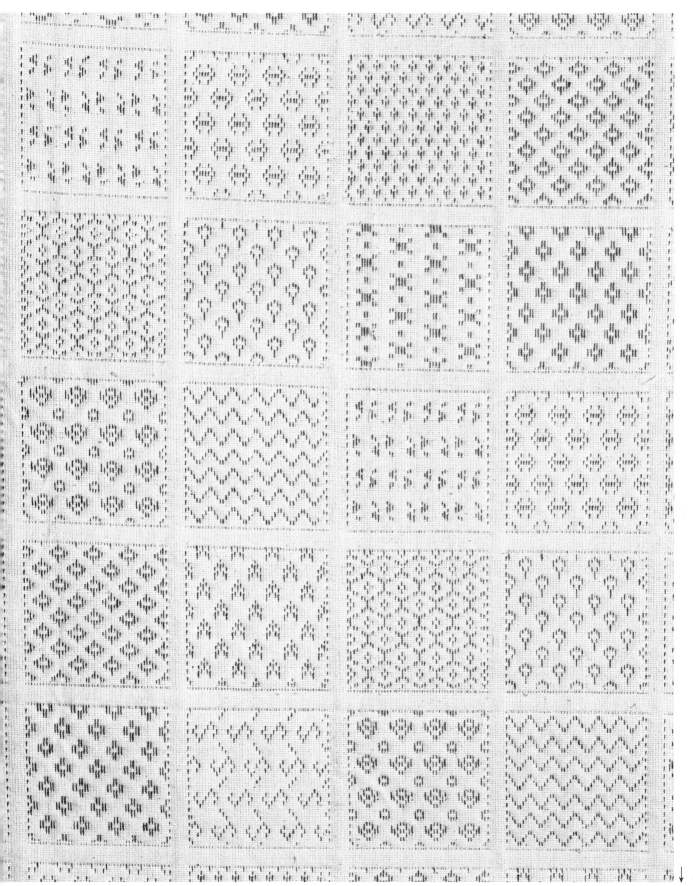

43

5.
anneau à décor en damier
btenu
ar opposition d'armures,
haîne coton,
ame laine.
07 × 503
alisé par : Neeru Kumar
ew Delhi

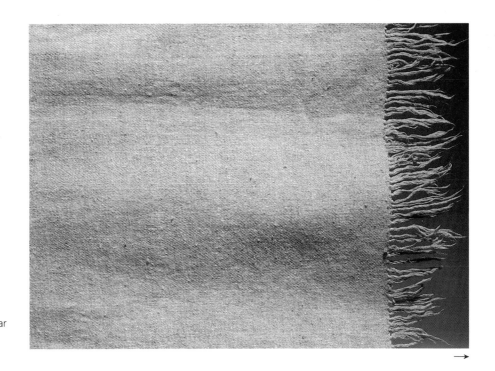

6.
hâle long en sergé croisé,
uvet de chèvre,
hahtoosh du Cachemire.
36 × 275
alisé par : Mohan Swadeshi Bhandar
rinagar
achemire

→

7.
hâle long en sergé croisé
t trame bouclée
ormant velours,
uvet de chèvre de première
ualité, pashmina du Cachemire.
76 × 291
alisé par : Mohan Swadeshi Bhandar
rinagar
achemire

→

Brochés

2.1.
Lé en satin broché
de plumes de paons,
chaîne soie, trame coton.
Bénarès (Varanasi)
59 × 816
réalisé par : Kasim Silk Centre — Varanasi
Uttar Pradesh

2.2.
Panneau en taffetas
lancé et broché,
soie et fils d'or et d'argent.
Bénarès (Varanasi)
234 × 454
réalisé par : Modern Sarees – Varanasi
Uttar Pradesh

2.2. *Détail*   ↓

48   ↓

.3.
anneau en taffetas
ncé et broché,
oie et fils d'or.
énarès (Varanasi)
36 × 459
ealisé par : Modern Sarees
aranasi
ttar Pradesh.

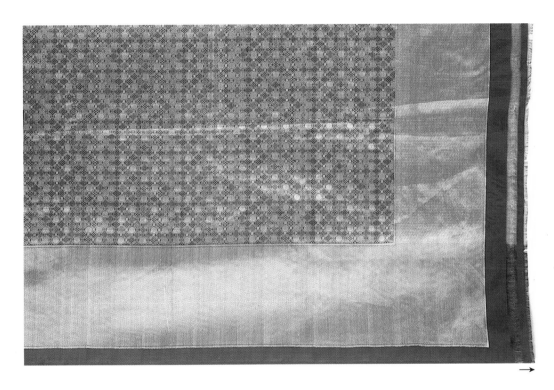

.4.
anneau en taffetas
uadrillé, lancé et broché,
oie et fils d'or et d'argent.
Bénarès (Varanasi)
238 × 486
ealisé par : Prabha Traders
aranasi
ttar Pradesh.

49

2.5.
Panneau en taffetas
broché, lancé et poil traînant,
soie, coton et fils d'or.
Chanderi
198 × 374
réalisé par : Gopilal and Sons –
Chanderi
Madhya Pradesh.

6.
anneau en taffetas
oché, lancé et poil traînant,
ie, coton, fils d'or et d'argent.
handeri
00 × 368
alisé par : Gopilal and Sons –
handeri
adhya Pradesh.

2.7.
Panneau en taffetas broché,
soie, coton, fils d'or et d'argent.
Chanderi
200 × 372
réalisé par : Gopilal and Sons –
Chanderi
Madhya Pradesh.

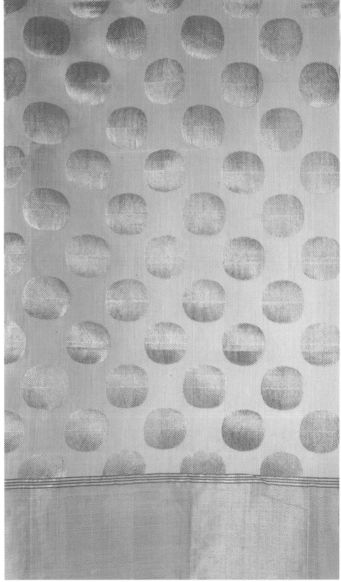

2.8.
Panneau en taffetas
broché et imprimé,
soie, coton, fils d'or et d'argent.
Chanderi
198 × 351
réalisé par : Gopilal and Sons –
Chanderi
Madhya Pradesh.

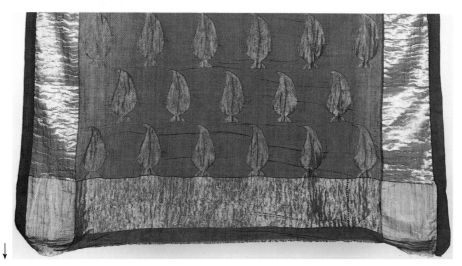

2.9.
Panneau en toile brochée,
coton et fils d'or.
Venkatagiri
116 × 350
réalisé par : Weavers Service Centre –
Hyderabad
Andhra Pradesh.

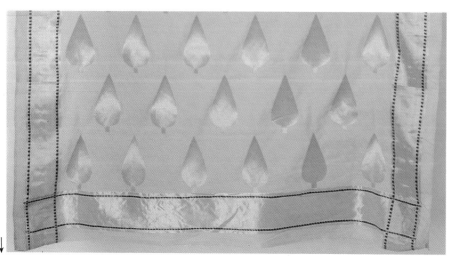

2.10.
Panneau en toile brochée,
lancée et poil traînant,
coton et fils d'or.
Venkatagiri
119 × 358
réalisé par : Weavers Service Centre –
Hyderabad
Andhra Pradesh.

2.11.
Panneau en toile brochée et lancée,
coton et fils d'or.
Kodalikaruppur
188 × 364
réalisé par : Weavers Service Centre –
Madras
Tamilnadu.

2.12.
Panneau en toile brochée et imprimée,
coton et fils d'or.
Kodalikaruppur
170 × 324
réalisé par : Weavers Service Centre –
Madras
Tamilnadu.

.11. *Détail*

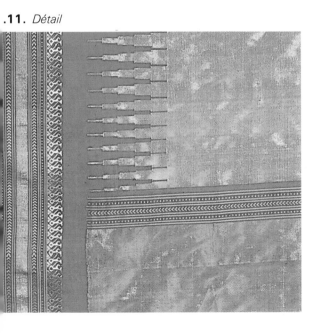

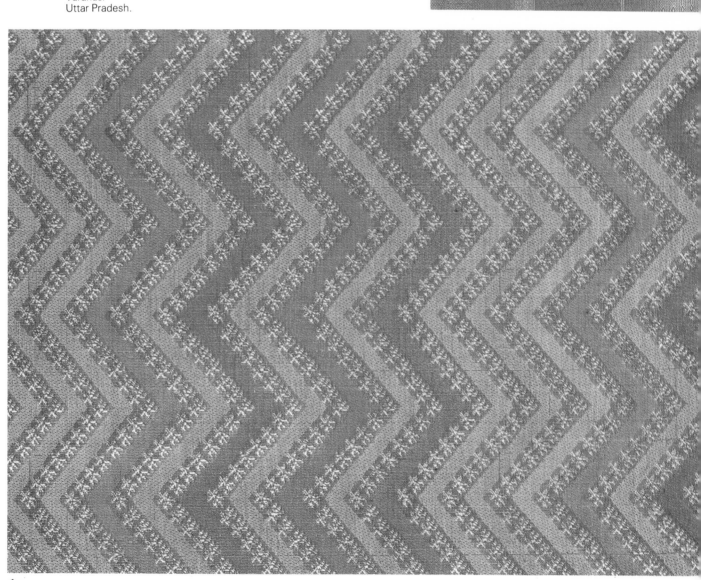

2.13.
Panneau en taffetas lancé,
soie et fils d'or.
Kanchipuram
155 × 469
réalisé par : Weavers Service Centre –
Kanchipuram
Tamilnadu.

2.14.
Sari,
taffetas lancé,
soie et fils d'or.
Bénarès (Varanasi)
113 × 525
réalisé par : Modern Sarees –
Varanasi
Uttar Pradesh.

.15.
ari,
affetas, champs et palloo : rayé et lancé,
ordures: poil traînant,
oie fils d'or et d'argent.
énarès (Varanasi)
09 × 525
éalisé par : Modern Sarees –
aranasi
ttar Pradesh.

.16.
ari,
affetas, champs et palloo : quadrillé et lancé,
ordures : broché et poil traînant,
oie fils d'or et d'argent.
Bénarès (Varanasi)
13 × 547
éalisé par : Modern Sarees –
aranasi
ttar Pradesh.

.17.
ari,
champs : lancé,
palloo : barré et lancé,
ordures : poil traînant,
oie, fils d'or et d'argent.
Bénarès (Varanasi)
16 × 540
éalisé par : Modern Sarees –
aranasi
ttar Pradesh.

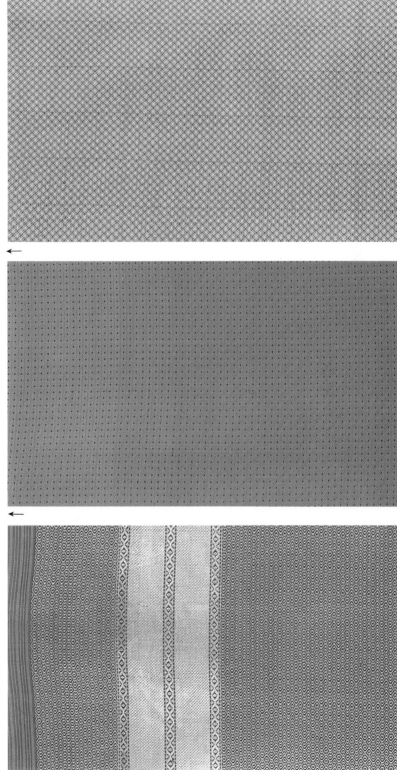

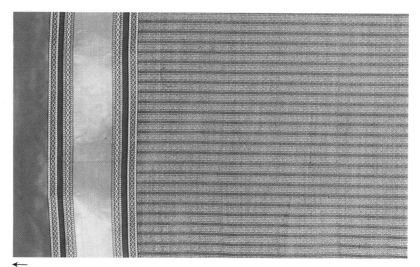

2.18.
Sari,
satin, champs et palloo : lancé,
bordures : poil traînant,
soie et fils d'or.
Bénarès (Varanasi)
114 × 544
réalisé par : Modern Sarees –
Varanasi
Uttar Pradesh.

2.19.
Sari,
taffetas, champs : façonné,
palloo : barré et lancé ;
bordures : broché et poil traînant,
soie et fils d'or.
Bénarès (Varanasi)
117 × 535
réalisé par : Modern Sarees –
Varanasi
Uttar Pradesh.

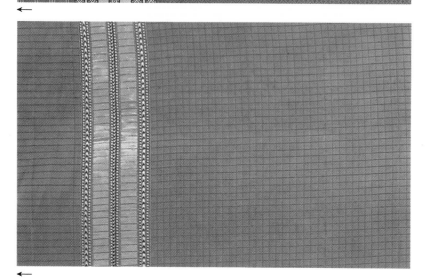

2.20.
Sari,
taffetas, champs : quadrillé,
palloo : rayé et lancé,
bordures : poil traînant.
Bénarès (Varanasi)
115 × 543
réalisé par : Modern Sarees –
Varanasi
Uttar Pradesh.

2.21.
Sari.
Taffetas, palloo : barré et lancé,
bordures : brochées.
Soie et fil d'or.
Bénarès (Varanasi)
115 × 527
Réalisé par :
Haji Monna Haji Noor Mohammed –
Varanasi
Uttar Pradesh.

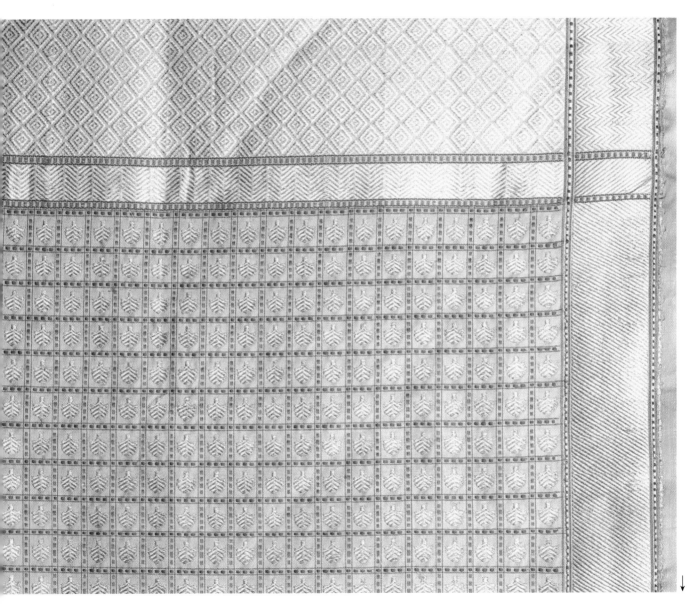

2.22.
Sari,
taffetas, champs et palloo :
quadrillé et trames partielles,
bordures : poil traînant,
soie et fils d'or.
Kanchipuram
120 × 564
réalisé par : Nachammai Achi –
Kanchipuram
Tamilnadu.

2.23.
Sari,
taffetas, champs : lancé,
palloo : barré et trames partielles,
bordures : poil traînant,
soie et fils d'or.
Kanchipuram
120 × 562
réalisé par : Nachammai Achi –
Kanchipuram
Tamilnadu.

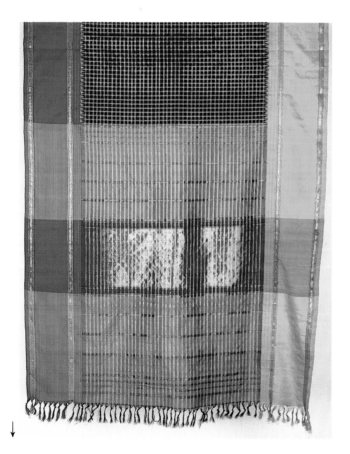

2.24.
Sari,
taffetas, champs : lancé,
palloo : barré et trames partielles,
bordures : poil traînant,
soie et fils d'or.
Kanchipuram
121 × 550
réalisé par : Nachammai Achi –
Kanchipuram
Tamilnadu.

2.25
Sari,
taffetas, champs : quadrillé,
broché, lancé et poil traînant,
palloo : lancé,
bordures : poil traînant,
soie et fils d'or.
Kanchipuram
121 × 516
réalisé par : Nachammai Achi –
Kanchipuram
Tamilnadu.

2.26.
Sari,
taffetas, champs et palloo :
quadrillé et trames partielles,
bordures : poil traînant,
soie et fils d'or.
Kanchipuram
121 × 578
réalisé par : Nachammai Achi –
Kanchipuram
Tamilnadu.

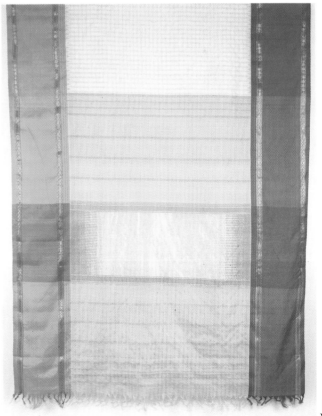

2.27.
Sari,
taffetas, champs : lancé,
palloo : lancé et trames partielles,
bordures : poil traînant,
soie et fils d'or.
Kanchipuram
120 × 548
réalisé par : Nachammai Achi −
Kanchipuram
Tamilnadu.

2.28.
Sari,
taffetas, champs : lancé,
palloo : lancé et trames partielles,
bordures : poil traînant,
soie et fils d'or.
Kanchipuram
121 × 558
réalisé par : Nachammai Achi −
Kanchipuram
Tamilnadu.

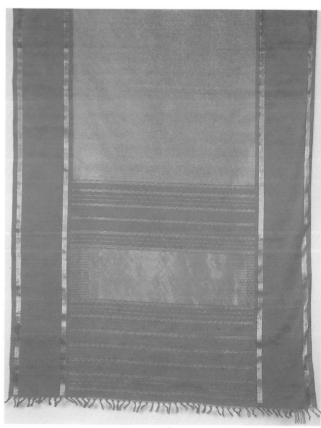

2.29.
Sari,
taffetas, champs : rayé,
palloo : barré et trames partielles,
soie et fils d'or.
Kanchipuram
122 × 558
réalisé par : Nachammai Achi –
Kanchipuram
Tamilnadu.

2.30.
Sari,
taffetas, champs : quadrillé,
palloo : barré et trames partielles,
soie et fils d'or.
Kanchipuram
123 × 564
réalisé par : Nachammai Achi –
Kanchipuram
Tamilnadu.

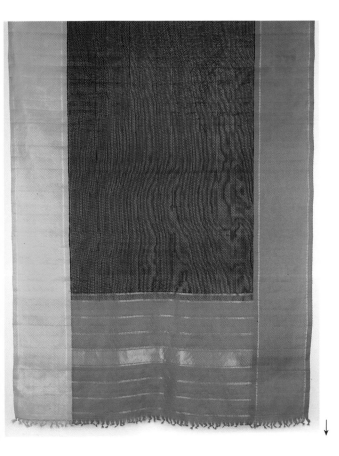

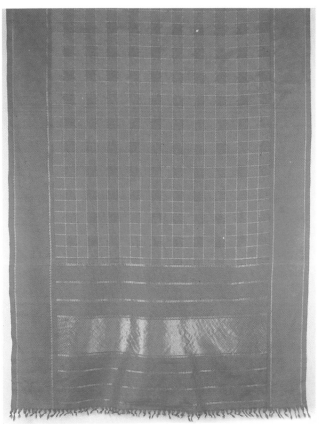

2.31.
Sari Jamdani.
Toile brochée,
coton, fils d'or et d'argent.
Bénarès (Varanasi)
118 × 560
réalisé par : Weavers Service centre –
Varanasi
Uttar Pradesh.

2.32.
Sari,
toile, champs et bordures : brochés
palloo : broché et trames partielles,
coton et fils d'or.
Upada
123 × 586
réalisé par : Weavers Service Centre –
Vijayawada
Andhra Pradesh.

2.33.
Sari,
toile, champs : broché,
palloo : barré et espolliné,
bordures : espollinées et poil traînant,
coton et fils d'or.
Aurangabad
124 × 580
réalisé par : Weavers Service Centre –
Bombay
Maharashtra.

2.34.
Sari,
toile avec bande lancée,
coton.
Shantipur
123 × 567
réalisé par : Weavers Service Centre –
Calcutta
Bengal Occidental.

↓

2.35. Sari,
toile, palloo : barré et lancé,
bordures : poil traînant,
coton et fils d'or.

Shantipur
122 × 565
réalisé par : Weavers Service Centre –
Calcutta
Bengal Occidental.

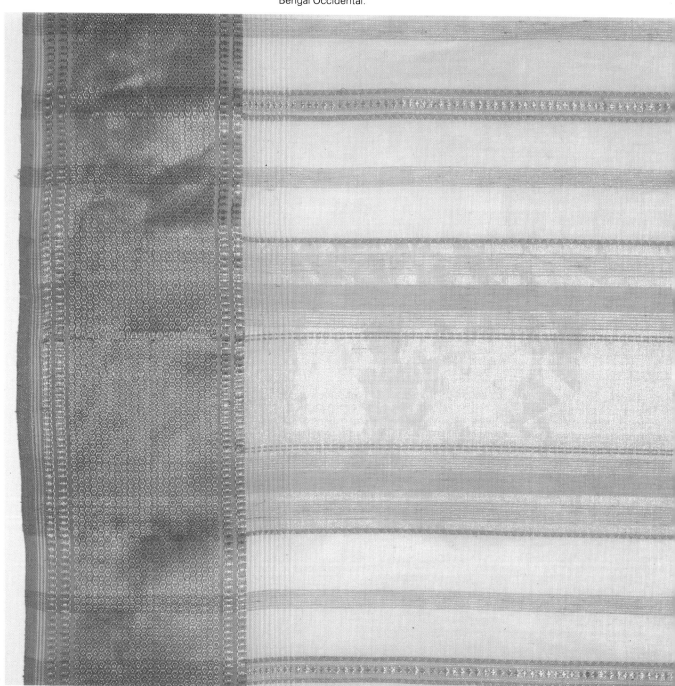

.36. Sari,
affetas, champs : quadrillé,
palloo : barré et lancé,
ordures : poil traînant,
oie, coton, fils d'or et d'argent.
Chanderi
18 × 554
éalisé par : Gopilal and Sons —
handeri
Madhya Pradesh.

↓

.37.
Sari,
affetas, champs : rayé,
palloo : barré et lancé,
ordures : poil traînant,
oie, coton, fils d'or.
Chanderi
16 × 543
éalisé par : Gopilal and Sons —
Chanderi
Madhya Pradesh.

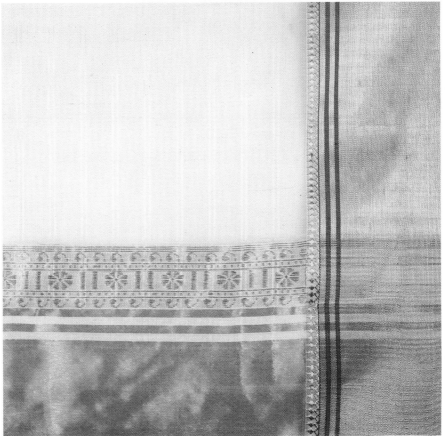

↓

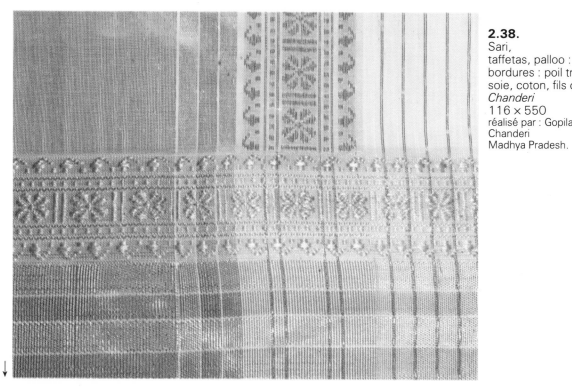

2.38.
Sari,
taffetas, palloo : barré et lancé
bordures : poil traînant,
soie, coton, fils d'or et d'argent
Chanderi
116 × 550
réalisé par : Gopilal and Sons –
Chanderi
Madhya Pradesh.

2.39.
Sari,
taffetas, palloo : barré et lancé
bordures : poil traînant,
Soie et fils d'or.
Dharmavaram
réalisé par : Weavers Service Centre
Vijayawada
Andhya Pradesh.

.40.
ari,
affetas, champs : rayé,
alloo : barré et lancé,
ordures : poil traînant,
oie, coton, fils d'or.
Chanderi
18 × 560
éalisé par : Gopilal and Sons –
handeri
Madhya Pradesh.

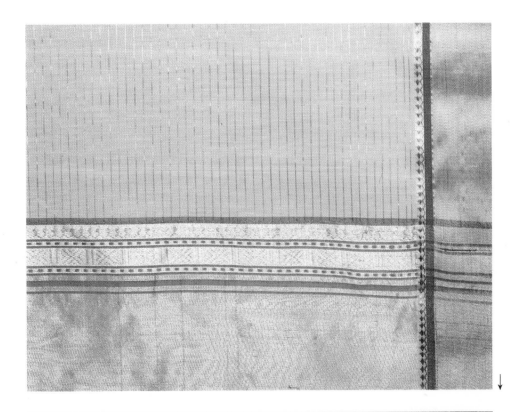

.41.
Sari,
affetas, champs : broché,
alloo : barré,
oie, coton, fils d'or.
Chanderi
21 × 550
éalisé par : M.P. S.T.C. –
Chanderi
Madhya Pradesh.

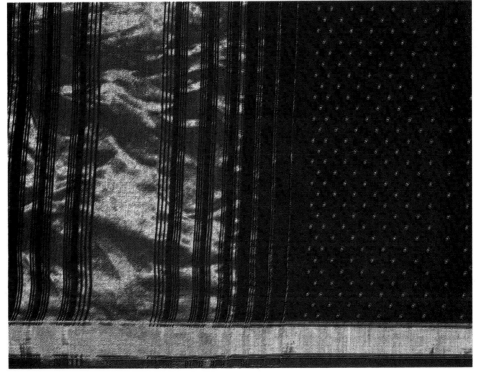

2.42.
Sari,
toile, palloo : barré,
coton et fils d'argent.
Balrampuram
réalisé par :
Kerela State Handloom Weavers
Cooperative Society Ltd –
Trivandram
Kerela.

←

←

2.43.
Sari,
toile, pallo : barré,
coton et fils d'argent.
Balrampuram
120 × 540
réalisé par :
Kerela State Handloom Weavers
Cooperative Society Ltd –
Trivandram
Kerela.

2.44.
Sari,
toile, pallo : barré,
coton et fils d'or.
Balrampuram
118 × 550
réalisé par :
Kerela State Handloom Weavers
Cooperative Society Ltd –
Trivandram
Kerela.

2.45.
Sari,
toile, pallo : barré,
coton et fils d'or.
Balrampuram
119 × 545
réalisé par :
Kerela State Handloom Weavers
Cooperative Society Ltd –
Trivandram
Kerela.

.46.
ari,
ile,
alloo : barré et trames partielles,
ordures : poil traînant,
oton et fils d'argent.
17 × 503
éalisé par : Weavers Service Centre –
adras
amilnadu.

2.47.
Sari,
taffetas, quadrillé et lancé, soie.
Karnataka
120 × 530
réalisé par : Weavers Service Centre
Karnataka.

2.48.
Sari,
toile, champs et palloo : trames partielles,
palloo également barré et broché,
coton.
Korpat
121 × 524
réalisé par :
Basudev Weavers Cooperative Society Ltd –
Cuttack
Orissa.

2.49.
Sari,
toile, champs et palloo : trames partielles,
palloo également barré,
coton.
Korpat
124 × 560
réalisé par :
Basudev Weavers Cooperative Society Ltd –
Cuttack
Orissa.

2.50.
Sari,
toile, champs et palloo : brodés et trames partielles,
palloo également barré,
coton.
Korpat
118 × 550
réalisé par :
Basudev Weavers Cooperative Society Ltd –
Cuttack
Orissa.

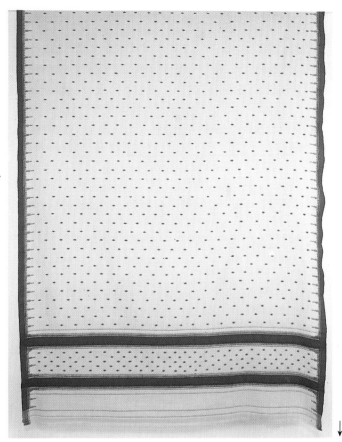

2.51.
Sari,
toile, champs : rayé avec trames partielles,
palloo : quadrillé et brodé avec trames partielles,
coton.
Korpat
116 × 538
réalisé par :
Basudev Weavers Cooperative Society Ltd –
Cuttack
Orissa.

2.52.
Sari,
toile, quadrillé,
coton et fils d'or.
Venkatagiri
120 × 541
réalisé par : Weavers Service Centre –
Hyderabad
Andhra Pradesh.

2.53.
Sari,
toile, champs : avec chaîne raboutée
et trames partielles,
palloo : broché et lancé,
bordures : avec poil traînant.
coton.
Bomkai
110 × 496
réalisé par :
The Bomkai Weavers Cooperative Society Ltd –
Bomkai
Orissa.

2.54.
Sari,
toile, champs : quadrillé avec chaîne raboutée
et trames partielles,
palloo : broché et lancé,
coton.
Bomkai
111 × 467
réalisé par :
The Bomkai Weavers Cooperative Society Ltd –
Bomkai
Orissa.

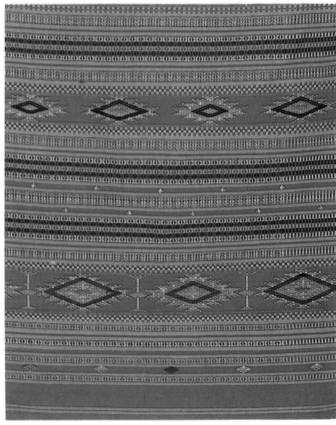

2.55.
Sari,
toile, champs : broché avec trames partielles,
palloo : broché et lancé,
bordures : poil traînant,
coton.
Bomkai
106 × 504
réalisé par :
The Bomkai Weavers Cooperative Society Ltd –
Bomkai
Orissa.

Ikats

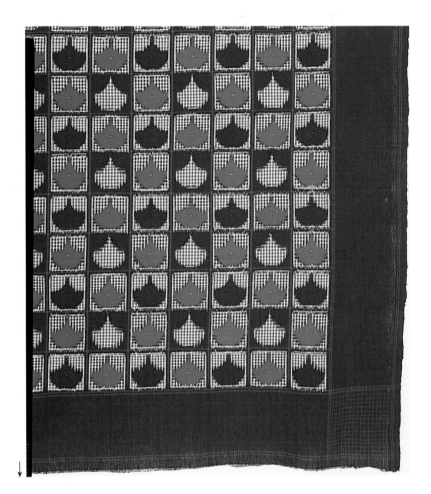

3.1.
Toile de coton avec décor
réalisé en double ikat.
Telia Rumal de Puttapaka
226 × 484
réalisé par : Murli Sari Emporium,
Puttapaka –
Hyderabad
Andhra Pradesh.

3.1. *Détail*

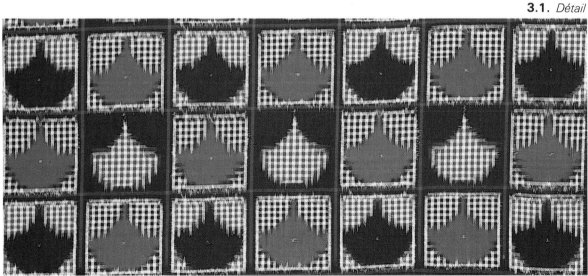

3.2.
Toile de coton avec décor
réalisé en double ikat.
Telia Rumal de Puttapaka
225 × 488
réalisé par : Murli Sari Emporium,
Puttapaka –
Hyderabad
Andhra Pradesh.

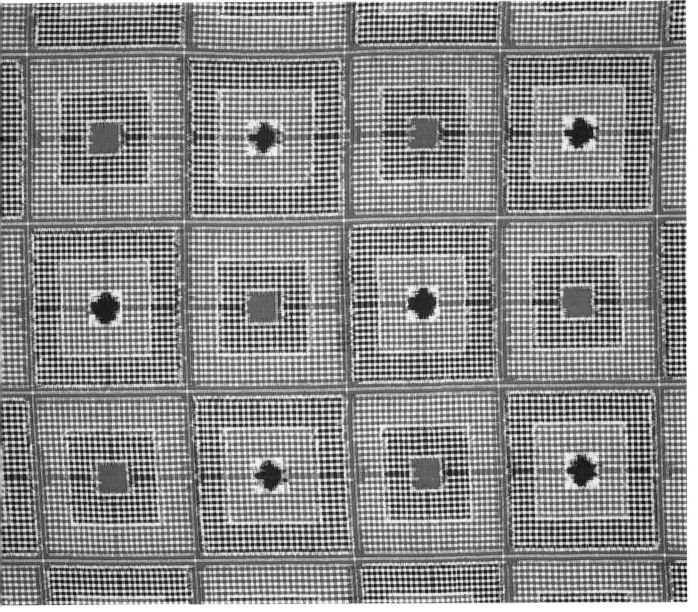

3.3.
Toile de coton avec décor
réalisé en double ikat.
Telia Rumal de Puttapaka
232 × 485
réalisé par : Weavers Service Centre
Hyderabad
Andhra Pradesh.

3.4.
Serge brisé en coton
avec décor
réalisé en ikat chaîne.

Mashroo de Hyderabad
228 × 440
réalisé par : Weavers Service Centre
Hyderabad
Andhra Pradesh.

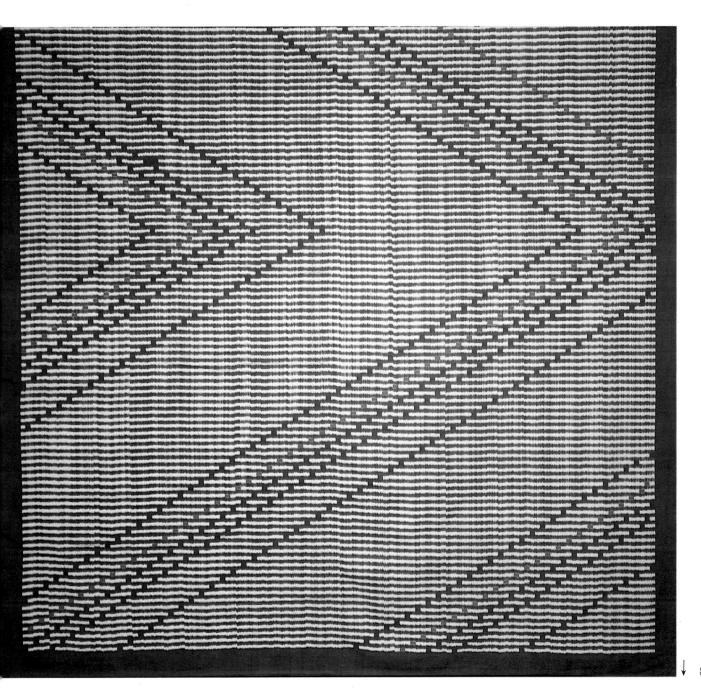

3.5.
Sari,
toile de coton et fils d'or
avec décor
réalisé en double ikat.
Puttapaka
123 × 536
réalisé par : Murli Sari Emporium,
Puttapaka –
Hyderabad
Andhra Pradesh.

3.6.
Sari,
Taffetas de soie et fils d'or
avec décor
réalisé en double ikat.
Puttapaka
123 × 536
réalisé par : Murli Sari Emporium,
Puttapaka –
Hyderabad
Andhra Pradesh.

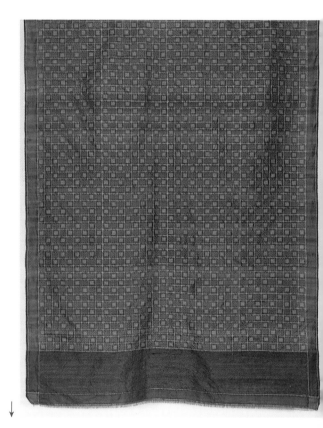

3.7.
Sari,
taffetas de soie et fils d'or
avec décor
réalisé en ikat trame.
Puttapaka
119 × 563
réalisé par : Murli Sari Emporium,
Puttapaka –
Hyderabad
Andhra Pradesh.

3.8.
Sari,
taffetas de soie et fils d'or
avec décor
réalisé en double ikat.
Patola de Patan
122 × 560
réalisé par : Chotalal Salvi
Patan
Gujarat.

3.9.
Sari,
taffetas de soie avec décor
réalisé en double ikat.
Patola de Patan
122 × 560
réalisé par : Chotalal Salvi
Patan
Gujarat.

3.10.
Sari,
taffetas de soie avec décor
réalisé en double ikat.
Patola de Patan
122 × 550
réalisé par : Chotalal Salvi
Patan
Gujarat.

Imprimés

5.1.
Panneau en toile de coton
imprimée à la planche.
Sanganer
190 × 230
réalisé par : Radha Mohan
Jaipur
Rajastan.

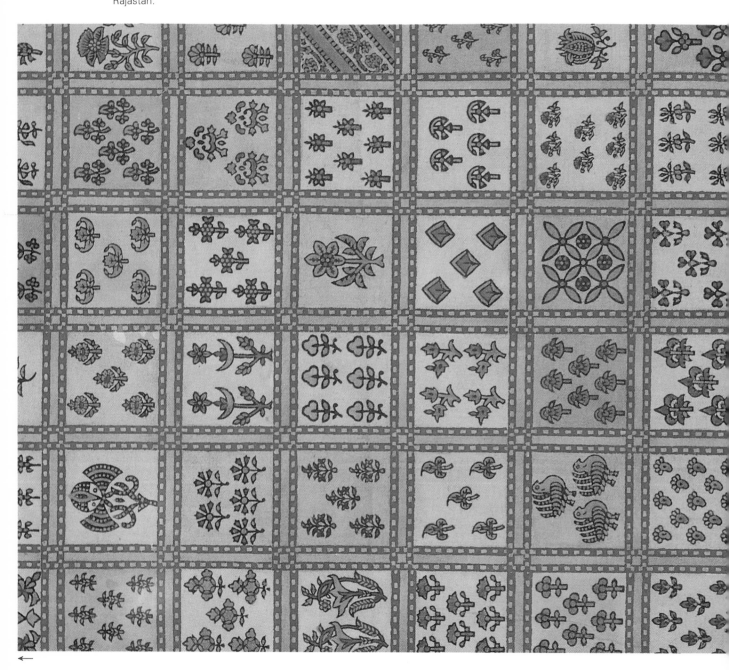

5.2.
Panneau en toile de coton
avec décor teint
après réserve par impression
de cire au bloc.
214 × 460
réalisé par : Farid Store
Mundra
Gujarat.

5.3.
Panneau en toile de coton
avec décor teint
après réserve par impression
de cire au bloc.
220 × 460
réalisé par : Farid Store
Mundra
Gujarat.

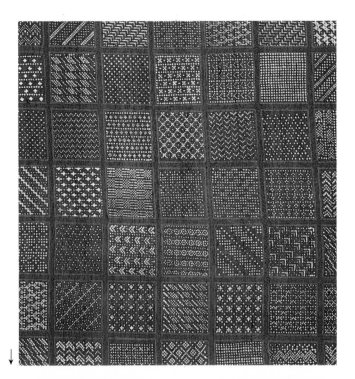

5.4.
Panneau en taffetas
de soie imprimé.
244 × 480
réalisé par : Weavers Service Centre
Bombay
Maharashtra.

5.5.
Panneau en taffetas
de soie imprimé.
240 × 458
réalisé par : Weavers Service Centre
Bombay
Maharashtra.

5.6.
Panneau en taffetas
de soie imprimé.
266 × 480
réalisé par : Weavers Service Centre
Bombay
Maharashtra.

5.7.
Panneau en toile de coton
peint à la main.
128 × 256
réalisé par : E. Emberumad
Sickinaikanpet
Tamilnadu.

5.8.
Panneau en toile de coton
peint à la main.
228 × 445
réalisé par : E. Emberumad
Sickinaikanpet
Tamilnadu.

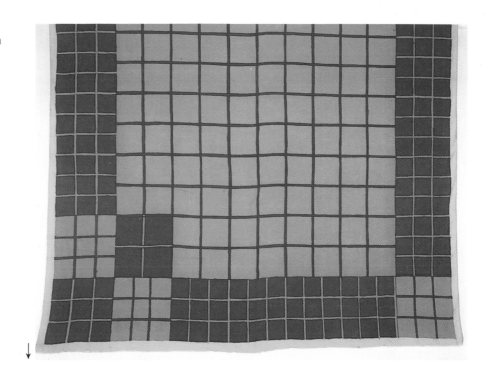

5.9.
Panneau en toile de coton
peint à la main.
225 × 442
réalisé par : E. Emberumad
Sickinaikanpet
Tamilnadu.

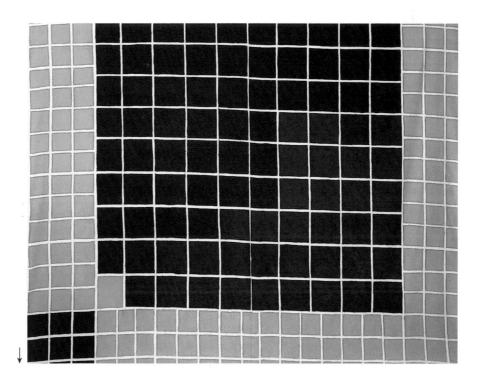

5.10.
Panneau en toile de coton
peint à la main.
128 × 204
réalisé par : E. Emberumad
Sickinaikanpet
Tamilnadu.

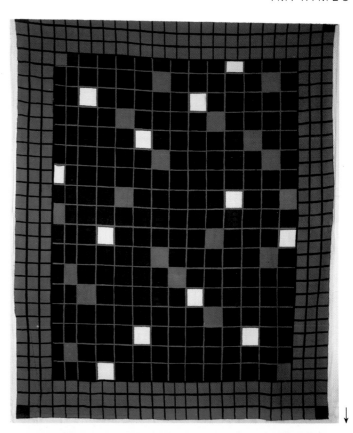

5.11.
Panneau en toile de coton
peint à la main.
128 × 264
réalisé par : E. Emberumad
Sickinaikanpet
Tamilnadu.

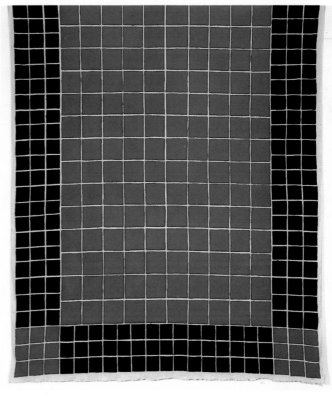

5.12.
Panneau en toile de coton
peint à la main.
225 × 448
réalisé par : E. Emberumad
Sickinaikanpet
Tamilnadu.

5.13.
Sari,
toile de coton imprimée.
Madras
118 × 578
réalisé par : Weavers Service Centre
Madras
Tamilnadu.

5.14.
Sari,
toile de coton imprimée.
Madras
118 × 562
réalisé par : Weavers Service Centre
Madras
Tamilnadu.

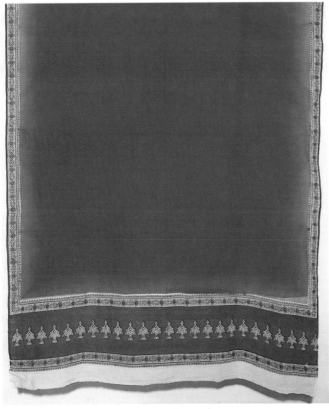

5.15.
Panneau en toile de coton
imprimé au bloc.
222 × 470
réalisé par : Ismail Sulemanji Khatri
Bagh.
Madhya Pradesh

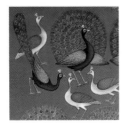 Peintures

6.1.
Panneau en toile de coton,
peint avec des colorants
pigmentaires.
190 × 293
réalisé par : Dwarkanal
Udaipur Rajasthan

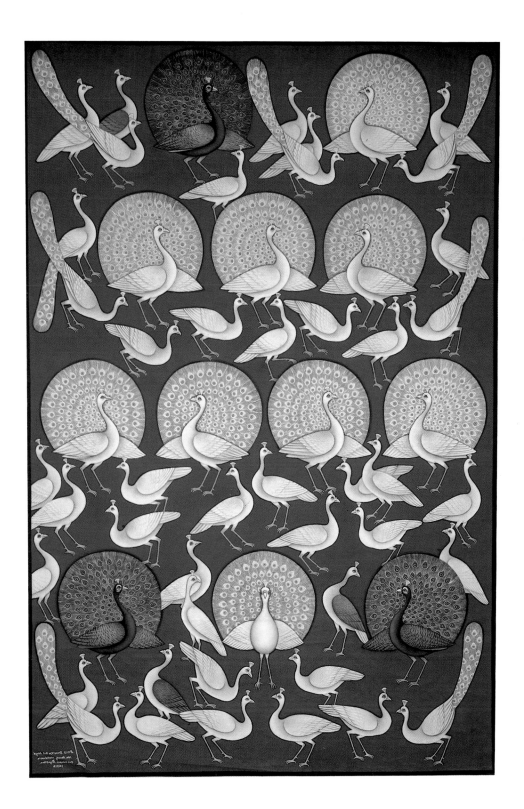

Modèles créés
par Issey Miyake

J'ai entendu dire qu'en Inde, un Dieu est en train de respirer aujourd'hui, et l'espace qui sépare l'inspiration de l'expiration de son souffle s'étend sur plusieurs milliards de siècles.

L'impression de calme passion qui émanait de la conversation téléphonique que j'ai eue avec Madame Jayakar quand elle nous a appelés alors que nous séjournions en Inde pour un voyage – vacances était peut-être due à cette respiration – ce fut un hasard, un hasard naturel.

Bouleversés par cette passion que même le téléphone transmettait fidèlement, nous avons brusquement modifié notre programme et nous nous sommes dirigés vers Delhi.

Nous avons tout d'abord été très étonnés de la vie humble que menait Madame Jayakar, à l'époque Conseiller Culturel auprès du Premier Ministre Indira Ghandi.

Mais nous avons immédiatement compris que ce dépouillement était le résultat du rejet de tous les fardeaux inutiles qui nous entourent afin de pouvoir respirer la nature, et nous avons adhéré à ce sentiment.

Elle nous dit : « En Inde, de nombreux artisanats subsistent, comme autant d'héritages d'une remarquable tradition et plus de 10 millions d'hommes en vivent. Pour eux, et pour l'Inde, ne pourriez-vous pas faire quelque chose avec nous pour révéler ces techniques au temps présent ? Ne pourrions-nous pas collaborer pour réaliser ensemble un projet culturel ? »

Or, nous-mêmes, de notre côté, nous n'avons cessé de rechercher jusqu'à maintenant des matières qui soient les plus proches de la nature. Pour ce faire, nous avons largement fait appel aux machines et étudié toutes sortes de techniques de traitement au niveau des finitions. Nous découvrions alors soudain

qu'en Inde existait la fabrication manuelle, proche s'il en est de la nature.

Nous l'avons également ressenti lorsque nous avons visité les ateliers : les mouvements de la main suivent exactement les évolutions de la nature. Plus on cherchera à connaître notre époque, plus on sera amené à découvrir là les racines du voyage.

Dans les temps très anciens, le Japon respirait avec l'Inde grâce au sentier étroit qui les reliait (respiration qui se limitait peut-être à l'inspiration seule...) et pour nous, voyager en Inde, n'est qu'une suite de redécouvertes inespérées, de retrouvailles inattendues. Par conséquent, ce désir de faire revivre dans le présent le souvenir lointain a soulevé en nous le sentiment profond que cette rencontre entre l'Inde et nous-mêmes était inévitable. La proposition faite du côté indien est devenue un vœu com-

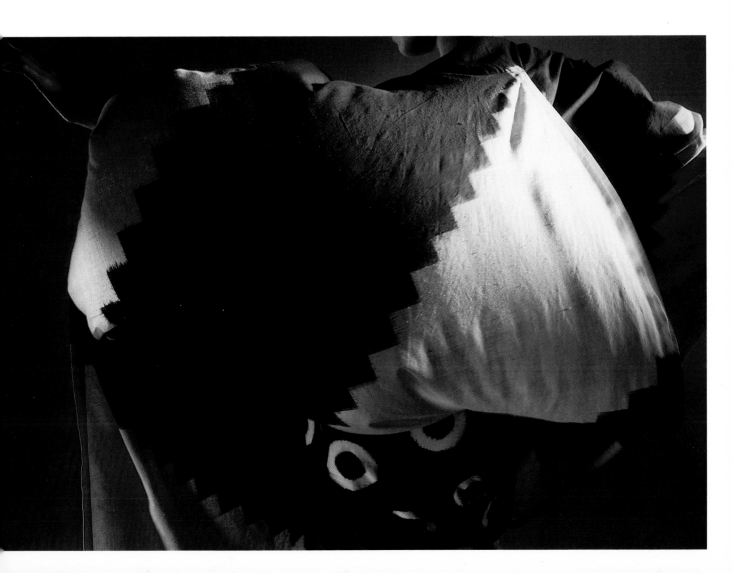

mun. Nous étions persuadés que nous pourrions créer des tissus et des vêtements d'un caractère nouveau si nous travaillions à ce projet avec notre propre esprit et notre propre émotion. Un élément déterminant pour notre travail a été notre rencontre et notre collaboration avec Asha Sarabhai, spécialiste du tissage à la main en Inde, pour la création de vêtements dans une soie « Muga » rayée dont l'effet sera j'espère très spectaculaire.

      Vous pouvez découvrir ici cette excitation originelle, cette tentative de respirer ensemble le présent. C'est également une chance immense qu'elle puisse être justement présentée en France, pays qui « rumine » sans cesse le présent. Grâce à l'intervention de Monsieur Mathey nous avons obtenu la coopération de la France et maintenant, notre rencontre peut respirer cet air appelé « présent ». I.M.

Table des matières

PARTICIPATION DES SOCIÉTÉS FRANÇAISES A L'ANNÉE DE L'INDE

Air France / Aérospatiale / Assurances générales de France / Avions Marcel Dassault / Banque Nationale de Paris / B.S.N. / Carrefour / Charbonnages de France / Compagnie Bancaire / C.G.E. et ses filiales : Alsthom, Alcatel, C.G.E.E. Alsthom, Ceraver / Cora-Revillon / Crédit Lyonnais / Électronique Serge Dassault / E.D.F. / Groupe Générale des Eaux / Indosuez / Lazard Frères / L'Oréal / Matra / Neuflize-Schlumberger-Mallet / Pechiney / Philips-T.R.T. / R.A.T.P., Rhône-Poulenc / Saint-Gobain / S.A.R.I. / Schlumberger / Société Générale / Thomson C.S.F. / Total-Compagnie Française des pétroles.

CRÉDITS PHOTOGRAPHIQUES

Les photographies des tissus sont de
Laurent Sully-Jaulmes et Anne Gaillard
pour le Musée des Arts Décoratifs.

Les photographies des vêtements créés par Issey Miyake
sont de Keiichi Tahara.
Le portrait de Issey Miyake
est de Quenneville.

Mise en page du catalogue et affiche :
Philippe Gentil.

ISBN : 2-86545-036-8

Imprimerie ◘ Alençonnaise
2, rue Édouard-Belin, 61002 Alençon
Dépôt légal : 4ᵉ trimestre 1985 - Nᵒ d'ordre 5212